Manual del MASAJE
PASO A PASO

José Manuel Sanz Mengíbar

LIBSA

© 2007, Editorial LIBSA
C/ San Rafael, 4
28108 Alcobendas. Madrid
Tel. (34) 91 657 25 80
Fax (34) 91 657 25 83
e-mail: libsa@libsa.es
www.libsa.es

ISBN: 84-662-1246-9

Colaboración en textos: José Manuel Sanz Mengíbar y Ginés Nadal
Edición: Equipo Editorial LIBSA
Diseño de cubierta: Equipo de Diseño LIBSA
Maquetación: Ginés Nadal y equipo de Diseño LIBSA
Fotografías y documentación gráfica: Antonio Beas y Archivo LIBSA
Estilismo: Raquel Díaz Vázquez, Alberto Gobicchi, Alexander Sosa Abboud,
Manuel de Marcos Orlando, Clara Villafranca Sanz y Ana Sanz Mengíbar.

CONTENIDO

01 INTRODUCCIÓN AL MASAJE RELAJANTE O ANTIESTRÉS

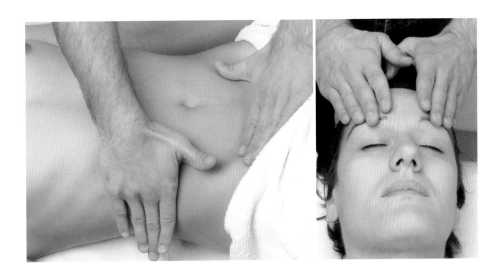

EL MASAJE ES UN CONJUNTO DE MOVIMIENTOS EJECUTADOS CON LAS MANOS SOBRE LAS DIFERENTES REGIONES DEL CUERPO. NO SE CONOCE CON CLARIDAD EL ORIGEN DE LA PALABRA MASAJE, AUNQUE SE LE HAN ATRIBUIDO RAÍCES GRIEGAS (MASSEIN), ÁRABES (MASS) Y HEBREAS (MACHECH). TODAS ELLAS HACEN REFERENCIA A TOCAR, PALPAR, TANTEAR, AMASAR, FROTAR. LO QUE SÍ SE SABE ES QUE EL MASAJE ES UNO DE LOS MÉTODOS TERAPÉUTICOS MÁS ANTIGUOS QUE HA USADO EL HOMBRE. LOS EFECTOS QUE SE HAN BUSCADO CON SU USO SON RELAJANTES, ESTIMULANTES, TERAPÉUTICOS Y ESTÉTICOS.

HISTORIA DEL MASAJE

El masaje parte de una reacción natural y automática que se produce en nosotros cuando sufrimos dolor en una zona determinada. De manera instintiva, ante un golpe, llevamos nuestras propias manos donde nos duele y frotamos para intentar calmar la zona. Otro ejemplo lo encontramos en la depilación, ya que al retirar la cera mostramos un gran alivio al notar el contacto de la mano que inmediatamente coloca la esteticista sobre la zona. Este tipo de reacciones, que existen en nuestra vida cotidiana de manera inconsciente, hoy tiene una explicación científica. Se conoce como «teoría de la compuerta» a una serie de mecanismos corporales, mediante los cuales el cerebro reduce la percepción del dolor en una región del cuerpo cuando se estimulan las fibras encargadas de percibir sensaciones táctiles en dicha zona.

El masaje ha variado mucho a lo largo de su historia hasta nuestros días. Se considera que lo más parecido a lo que hoy consideramos como masaje se usaba en la cultura china del año 2700 a.C. (Kong-Fou) y en la Hindú en el año 2000 a.C. (*El libro de los Vedas de la India*). Se usaba para reducir la fatiga, para dormir, adelgazar o por higiene corporal siempre combinado con el ejercicio o la meditación. En las tumbas egipcias se han encontrado dibujos alusivos a las sesiones de masaje que realizaban los médicos a los faraones. También fue usado por los romanos incluso con pequeños golpeteos con ramas de olivo para mejorar la circulación y por los griegos, siendo Hipócrates quien describió sus efectos y lo recomendaba en algunas dolencias. Era utilizado por los soldados del ejército y en los baños públicos en ambas culturas.

De hecho, Galeno en el año 130 a.C. lo utilizaba junto con ungüentos para preparar a los gladiadores. Este uso terapéutico acabó derivando también en un uso erótico. La popularidad del masaje continuó creciendo hasta la Edad Media, época en la que perdió su posición privilegiada dentro de la medicina debido a la tendencia general de desprecio hacia el culto al cuerpo, a lo físico. Las grandes influencias religiosas y la tendencia ideológica hacia el mundo espiritual llenaron de connotaciones negativas y pecaminosas este tipo de técnicas, quedando reducido su uso a charlatanes y curanderos. En la medicina tradicional Japonesa se desarrolla durante los años 450 al 600 y en la cultura árabe empieza a conocerse a partir del 900 con médicos como Avicenna y Abulcasis.

Es en el Renacimiento cuando se vuelven a revisar los textos antiguos que intentan devolver el masaje a sus fundamentos y alejarlo de la magia y la brujería donde había permanecido oculto durante muchos siglos. En el siglo xix es el sueco H. Ling quien establece las bases técnicas del masaje tradicional actual, también llamado masaje sueco. El fundamento científico se debe al holandés Dr. Meztger.

Es en el siglo xx donde aparecen nuevas técnicas basadas en nuevos fundamentos científicos. Será entonces cuando se van estableciendo las diferentes escuelas conocidas como la sueca, la francesa, la alemana y además se van introduciendo en Europa las técnicas orientales basadas en conceptos diferentes como la energía.

ANATOMÍA BÁSICA DEL CUERPO HUMANO

Es importante conocer qué es lo que se encuentra debajo de la piel que tocamos y para qué sirve. Los principales receptores del masaje relajante son la piel y los músculos superficiales. Estos músculos se fijan a los huesos, dando lugar a los millones de posibilidades de movimientos del cuerpo humano.

LA ESPALDA

· **Trapecio:** cubre toda la zona alta de la espalda, cuello y hombro. Tiene forma de romboide.

· **Dorsal ancho:** cubre la zona media y baja de la espalda. Se fija en el brazo, produciendo que este se extienda hacia atrás y se rote internamente.

· **Paravertebrales:** pequeños músculos que unen las vértebras de una en una, formando una cadena muscular que discurre paralelamente a cada lado de la columna vertebral.

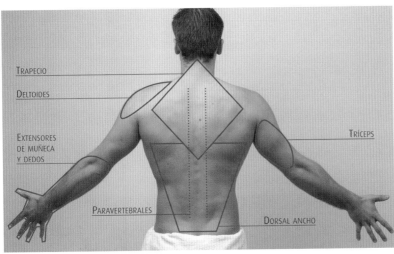 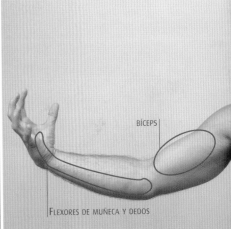

LOS BRAZOS

· **Deltoides:** se sitúa a modo de hombrera de armadura, cubriendo todo el brazo en su unión al tronco. Su acción es abrir los brazos en cruz.

· **Bíceps:** se llama así porque posee dos cabezas musculares situadas en la parte anterior del brazo. Se encarga de flexionar el codo y llevar al brazo hacia delante.

· **Tríceps:** está compuesto por tres cabezas musculares situadas en la parte posterior del brazo. Es el encargado de extender el codo y llevar al brazo hacia atrás.

Introducción al masaje relajante o antiestrés

· **Flexores de la muñeca y dedos:** se localizan en la parte anterior del antebrazo y en la palma de la mano. Cierran la mano para coger objetos.

· **Extensores de la muñeca y dedos:** se encuentran en la parte dorsal del antebrazo y en el dorso de la mano. Abren la mano para soltar los objetos.

LAS PIERNAS

· **Cuádriceps:** formado por cuatro cabezas musculares y se sitúa en la parte anterior del muslo. Es el encargado de extender la rodilla y flexionar la cadera.

· **Psoas:** es un músculo muy profundo y prácticamente impalpable por nuestros dedos. Es muy importante y potente. Se encarga de flexionar la cadera y al originarse en la columna lumbar tenemos que tenerlo en cuenta cuando hay dolor de espalda en esta zona.

· **Isquiotibiales:** son un grupo de tres músculos colocados en la zona posterior del muslo. Flexionan la rodilla y extienden la cadera hacia atrás.

· **Glúteo mayor:** es el responsable de la forma de la nalga. Extiende la cadera, permitiéndonos por ejemplo, estar de pie.

· **Tibial anterior:** en la parte anterior de la pierna, ayuda a levantar la punta del pie hacia arriba.

· **Gemelos:** gran masa muscular situada detrás de la pierna, ayuda a ponernos en «puntillas».

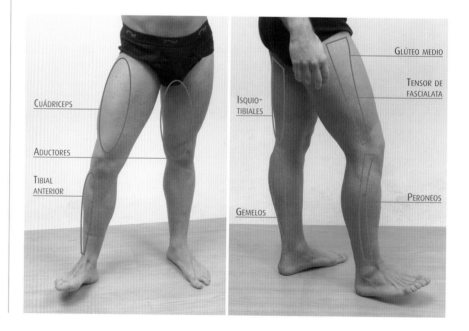

· **Peroneos:** se sitúan en la cara exterior de la pierna, llevando el pie hacia fuera.

· **Tensor de la fascia lata y glúteo medio:** colocados en el borde exterior del muslo, se encargan de separar las piernas.

· **Aductores:** están en el borde interno de ambos muslos, juntando las piernas.

EL PECHO Y EL ABDOMEN

· **Pectoral mayor:** responsable de la forma del pecho. Se encarga de juntar los brazos por delante de nosotros.

· **Recto abdominal:** desde el pubis al esternón, ayuda a flexionar el tronco hacia delante.

· **Oblicuos abdominales:** unen las costillas de un lado con la pelvis del otro, consiguiendo hacer girar el tronco a ambos lados.

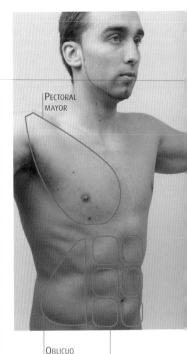

PECTORAL MAYOR

OBLICUO ABDOMINAL

RECTO ABDOMINAL

EL CUELLO

· **Esternocleidomastoideo:** cordón muscular que se desliza desde la clavícula y esternón hasta la cabeza en la zona de detrás de las orejas. Rotan la cabeza como en el movimiento de negación y la flexionan para afirmar.

LA CARA

· **Orbicular de los labios:** cinta muscular redonda que rodea los labios para cerrarlos.

· **Masetero:** se encuentra en el carrillo y se encarga de cerrar la boca, elevando la mandíbula, para la masticación.

· **Bucinador:** expulsa el aire que almacenamos hinchando los carrillos, donde se encuentra.

· **Cigomáticos:** producen una sonrisa franca, cordial. La sonrisa completa es el resultado de la contracción coordinada de muchos músculos de la mímica facial.

· **Frontal:** se encuentra en la frente elevando cejas y arrugándola.

· **Orbicular de los párpados u ojos:** rodea en círculo los ojos, cerrándolos rápidamente para protegerlos de cualquier objeto agresivo.

· **Superciliar:** se sitúa por debajo de la zona cutánea donde están las cejas.

· **Elevador del labio superior y del ala de la nariz:** es un pequeño cordón muscular que recorre la parte lateral de la nariz.

· **Mentoniano:** pequeño músculo situado en la barbilla, entre la zona del mentón y el labio inferior.

· **Risorio:** se inserta a ambos lados de los labios para producir su estiramiento. A pesar de su nombre, no es el que provoca principalmente la sonrisa.

· **Piramidal:** situado en la zona del entrecejo, provocando el gesto de fruncir el ceño.

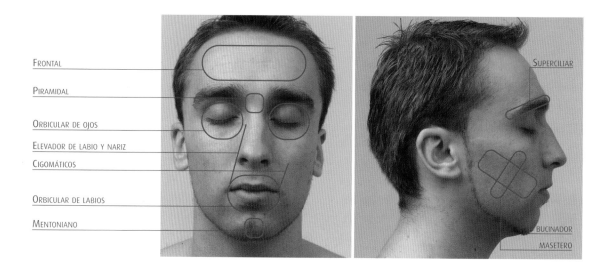

FRONTAL
PIRAMIDAL
ORBICULAR DE OJOS
ELEVADOR DE LABIO Y NARIZ
CIGOMÁTICOS
ORBICULAR DE LABIOS
MENTONIANO
SUPERCILIAR
BUCINADOR
MASETERO

¿POR QUÉ LOS MASAJES RELAJAN? FISIOLOGÍA Y EFECTOS CORPORALES DEL MASAJE

La relajación es conseguir un estado de reposo físico y mental, dejando los músculos en completo abandono y la mente libre de toda preocupación. Existen diferentes métodos y técnicas que pretenden buscar la relajación y entre ellas se encuentra el masaje.

Durante siglos se han atribuido al masaje connotaciones propias de cada cultura que han aportado cierto misticismo a la técnica. En la actualidad es un método en auge, pero también es hoy cuando mejor se conocen los mecanismos de actuación del masaje sobre el cuerpo humano. Este conocimiento es fundamental para entender por qué los masajes nos relajan o nos curan y alejar la técnica de las artes ocultas.

Los efectos son el resultado de la respuesta fisiológica del cuerpo al ser tocado o masajeado. El primer órgano receptor del masaje es la piel. En la piel se encuentran terminaciones nerviosas que transmiten al sistema nervioso central las sensaciones producidas por el masaje. Una vez interpretada esta información, el sistema nervioso central activará a distancia mecanismos en muchas zonas del cuerpo.

Otros de los efectos son producidos directamente por la actuación mecánica del masaje sobre ciertos tejidos como la piel, el tejido celular subcutáneo, los ligamentos, los músculos o los tendones.

· **La piel:** los efectos que produce el masaje son el aumento de la temperatura y del riego sanguíneo y linfático cutáneo. Con ello mejoramos el intercambio de nutrientes y oxígeno de sangre a las células y la eliminación de sustancias de desecho celular, responsables de adherencias que pueden provocar zonas dolorosas. Con el masaje estimulamos las terminaciones nerviosas sensitivas de la piel encargadas del sentido del tacto. Esto produce un efecto analgésico, es decir, de reducción del dolor, al «distraer» con nuestras manos las fibras nerviosas responsables de la percepción del dolor. De ellas también depende la relajación psíquica cerebral. Este mecanismo se llama teoría de la compuerta, ya que con el sentido del tacto bloqueamos la percepción del dolor. Obtendremos una mayor elasticidad en la piel, mejora de la transpiración y absorción de sustancias y desobstrucción de los poros.

· **El músculo:** en el músculo también se produce un aumento de la circulación sanguínea que facilita la llegada de nutrientes y oxígeno así como la eliminación de sustancias de desecho. Esto se traduce en una mejora en la vitalidad, contracción y flexibilidad muscular y por supuesto, su relajación. La mejora en la activación o relajación de la musculatura lisa (vísceras) influye beneficiosamente sobre la circulación, respiración, digestión y otras funciones vitales.

· **La circulación general:** con el masaje provocamos un aumento del flujo de sangre en la zona y una mejora de su retorno hacia el corazón. También mejora la circulación linfática.

· **El tejido adiposo:** el masaje relajante de pasajes suaves tiene poco efecto sobre este tipo de tejidos, salvo el de mejorar su absorción por el torrente sanguíneo. Sin embargo, las técnicas más vigorosas pueden disolver estas acumulaciones grasas, siempre que se acompañen de una dieta adecuada, evitando una vida sedentaria y realizando ejercicio periódicamente.

· **Los efectos psicológicos:** los masajes relajantes deben ser suaves, lentos y superficiales para producir la dilatación de los capilares y la relajación muscular. Con todo ello conseguiremos la sedación, disminución de la tensión psicológica, la ansiedad y la depresión. La relajación psicológica también ayuda a reducir el dolor, ya sea de cabeza o cualquier otro tipo. Potenciar los efectos del masaje es posible con técnicas como el yoga o la relajación.

CUÁNDO PODEMOS Y CUÁNDO NO PODEMOS DAR UN MASAJE

El masaje es un método muy útil para aliviar muchos problemas, pero además es muy importante para prevenirlos. Por esta razón no debemos esperar a tener signos de malestar para recibir un buen masaje.

Nunca masajearemos a una persona con inflamaciones agudas provocadas por golpes, torceduras o fracturas óseas.

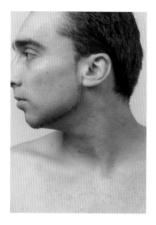

El masaje relajante nos ayuda a mejorar y a evitar que se produzcan situaciones de:

· Cansancio o sobreesfuerzos físicos.

· Tensión psicológica, estrés, nerviosismo, ansiedad, angustia, depresión...

· Contracturas musculares y molestias articulares.

· Problemas circulatorios sanguíneos o linfáticos.

· Alteraciones estéticas: celulitis, retención hídrica o arrugas.

Por todo ello se le considera un revitalizante general, incluso favoreciendo la estimulación sexual.

Antes de realizar un masaje debemos conocer la situación de la persona. Nunca masajearemos a una persona que se encuentre en alguna situación como las siguientes:

· Padezca cualquier tipo de enfermedad de la piel.

· Infecciones locales o generales, ya que podemos favorecer su diseminación por todo el cuerpo a través del sistema linfático o torrente sanguíneo.

· Problemas cardíacos, al provocar variaciones en la circulación sanguínea.

· Inflamaciones agudas provocadas por golpes, torceduras, fracturas óseas, roturas musculares, esguinces, brotes agudos reumáticos, quemaduras.

· Heridas abiertas o cuando la persona que reciba el masaje tiene fiebre.

· Cáncer, pudiendo facilitar su diseminación.

· Enfermedades contagiosas por vía del masaje.

· Calcificaciones de partes blandas, es decir, depósitos de calcio en zonas como músculo, provocando mucho dolor en la zona.

· Varices en estado avanzado y de riesgo.

· Hemorragias o derrames de sangre por rotura de vasos sanguíneos hacia el interior o exterior del cuerpo.

· Inflamaciones o fragilidad en arterias y venas.

Existen situaciones especiales en las que el masaje no está contraindicado, pero sí hay que prestar especial cuidado y poner mucha atención en su realización. En el embarazo no debemos nunca poner bocabajo a la persona, ni realizar amasamientos sobre el abdomen, salvo caricias y roces muy suaves. De igual manera nunca debemos poner bocabajo a personas con dificultades respiratorias como ancianos o personas obesas. El masaje en preadolescentes también requerirá especial cuidado al encontrarnos en etapas de crecimiento.

CONDICIONES PARA DAR UN MASAJE

· **La sala:** debemos proporcionar el masaje en una habitación individual y aislada de ruidos molestos. Podemos tener un ambiente silencioso y con música agradable con un volumen muy suave. Son muy importantes la ventilación y la higiene para disfrutar del masaje completamente.

· **Temperatura:** no existe una temperatura ideal, pero tiene que ser agradable. Hay que tener en cuenta que la persona que recibe el masaje se encuentra en reposo y con poca ropa y puede sentir frío, anulando todas las sensaciones de bienestar que le proporciona el masaje. Podemos cubrir las zonas que no estemos masajeando para evitarlo. El ambiente ideal es una temperatura entre 24 y 35 °C, con una humedad del 50%.

· **Duración:** el tiempo varía en función de cada persona, no podemos seguir reglas estrictas. La experiencia nos dirá cuándo debemos acabar el masaje, pero de forma orientativa no podemos realizar un masaje de menos de quince minutos ni de más de una hora.

· **Condicionamiento psicológico:** la relajación que consiga la persona depende en gran medida de la preparación psicológica, del condicionamiento y convencimiento de la efectividad del masaje. Si su actitud es negativa o poco receptiva no conseguirá el efecto deseado sino el contrario. Existen personas que son muy reacias a ser tocadas, en cuyo caso no se recomienda continuar con la sesión.

· **La vestimenta adecuada:** la persona que va a recibir un masaje debe llevar la menor ropa posible. Si esto produce cierta incomodidad que impida la relajación, es preferible comenzar con más ropa e ir descubriendo más zonas en sesiones sucesivas. La persona que da el masaje debe llevar ropa cómoda y holgada que no impida ningún movimiento.

Es tan importante la relajación de la persona que recibe el masaje como la relajación del que lo realiza. Nunca debemos adoptar posturas inadecuadas de flexión de columna o hacer fuerza excesiva con los brazos, ya que al final del masaje nuestro cuerpo notará la sobrecarga. Debemos aprovechar el peso de nuestro cuerpo para hacer presión con las manos y colocarnos a una altura adecuada gracias al material que se describe más adelante.

Los vibradores
disponen de una
superficie lisa o con
forma esférica y varias
intensidades.

Para entender la sensación que provocamos en los demás, es fundamental probar uno mismo. Así descubriremos los toques más placenteros, la intensidad adecuada a cada persona y la velocidad que debemos imprimir. Escuchar al sujeto sobre qué partes del masaje le producen mayor bienestar también ayudará a autoevaluarnos. Las manos son nuestra herramienta de trabajo, por lo que debemos tenerlas limpias, con las uñas no excesivamente largas y sin anillos, pulseras o reloj que puedan rozar la piel. También debemos asegurarnos que la zona que masajeamos se encuentra limpia y seca.

LOS MATERIALES

· **Los lubricantes:** entre los distintos lubricantes podemos encontrar aceite, vaselina, bálsamo, crema y gel. El contenido en agua de estas sustancias es menor, siguiendo este orden, en el aceite y mayor en el gel, por lo que la piel tardará más tiempo en absorber el aceite y el bálsamo. Cuanto más tiempo tarde una sustancia en ser absorbida por la piel, más tiempo mantendrá el efecto lubricante, por lo que la crema y el gel no serán eficaces mucho tiempo. También se pueden usar polvos de talco y productos de farmacia con sustancias antiinflamatorias o analgésicas. Podemos aprovechar los efectos añadidos que poseen algunas sustancias para obtener mejores resultados. Los aceites aromatizados pueden potenciar el efecto relajante gracias a la aromaterapia. Existen también cremas con efecto calor para la relajación o frío para estimular. Es posible realizar un masaje sin ningún tipo de sustancia lubricante, sin embargo se recomienda a las personas que se están iniciando, ya que ayuda a deslizar suavemente las manos por la piel evitando hacer presión en exceso. Una regla fundamental es que el lubricante no se debe rociar directamente sobre la piel de la persona ya que produce una sensación desagradable. Debemos repartir una pequeña cantidad en nuestras manos y después frotarlas entre sí suavemente, para calentar el lubricante. Después aplicaremos nuestras manos sobre la piel de la persona suavemente.

· **La camilla o mesa:** debe estar a la altura de nuestra cadera aproximadamente para evitar colocarnos en malas posiciones y sobreesfuerzos que puedan provocar dolor en nuestra espalda. Debemos por tanto, evitar dar masajes en el suelo y sobre superficies blandas como una cama, ya que provocaría un efecto perjudicial para nuestro cuerpo.

· **Los aparatos de masaje:** en el mercado existen muchos tipos de artículos que nos ayudan a dar masajes relajantes, ya que por sus características táctiles estimulan de diferentes maneras la piel. Con ellos podemos conseguir diferentes sensaciones táctiles que no podríamos provocar con nuestras manos, debido a sus diferentes formas y otros por sus características estimulan receptores especiales de la piel que perciben la vibración, la presión o las sensaciones profundas.

· **Rodillos:** estos aparatos disponen de una parte fija desde donde lo agarramos para masajear y otra parte que estará en contacto con la piel. Existen multitud de formas diferentes para esta última zona: pinchos, esferas, rugosidades, ondulaciones, etc.

Aceites vegetales de masaje más usados

Almendras: muy usado por su textura ideal para masajes.
Coco: contiene uno de los ácidos grasos más saturados.
Oliva: rico en vitamina E.
Albaricoque: es muy caro, pero muy bueno para pieles delicadas.
Avellanas, girasol, sésamo, soja y trigo.

Aceites con esencias: la aromaterapia en el masaje

La aromaterapia es la utilización terapéutica y relajante de los efectos producidos por los aromas en el organismo. Los aceites aromáticos son vegetales y se obtienen de diversas plantas naturales. Las propiedades terapéuticas que se les atribuyen se derivan de la mezcla de varias sustancias químicas también responsables de sus atractivos olores. Un aceite puede tener hasta 500 sustancias diferentes. Fueron introducidos por el químico francés Maurice Gattefosse en los años veinte con el descubrimiento de las propiedades del aceite de lavanda, continuando su uso en medicina natural, terapias alternativas y estética hasta nuestros días.

Estos aceites poseen unos aromas muy intensos, pero su textura no les hace adecuados para el masaje, por lo que son disueltos en otros más eficaces de entre los anteriores:

Pétalos de rosa: relaja y alivia.
Romero: soledad y dificultad para concentrarse.
Jazmín: relajante y calmante.
Tomillo: tristeza, depresión.
Canela: frialdad, desinterés sexual.
Manzanilla: ansiedad, hipersensibilidad.
Sándalo: relajante y afrodisíaco.
Mirra: soledad, resentimiento.
Árbol de té: fatiga mental y física. Aporta emotividad, creatividad y da fuerza.
Geranio: indecisión, pérdida de voluntad, estancamiento. Bloqueos y ganas de cambiar situaciones.
Lavanda: ansiedad, desasosiego, agitación.
Ciprés: abatimiento, mal humor, irritabilidad, sedentarismo, falta de fuerza de voluntad.
Salvia: activa la circulación.
Incienso, azahar, espliego, eucalipto, jengibre, clavo: son algunos ejemplos de aceites que podemos encontrar en el mercado e incluso hacer mezclas a nuestro gusto.

· **Vibradores:** disponen de una superficie lisa o con forma esférica que vibra gracias a un sistema mecánico interno. Poseen varias intensidades y velocidad de vibración para adaptarlo a cada sujeto y produciendo sensaciones diferentes. Lo deslizamos presionando firmemente la piel y realizando movimientos rectos y circulares. Son muy efectivos para las zonas de piel hipersensibles, ayudando a calmarlas. Otros efectos que se les atribuye son mejora de la circulación, relajación y alivio del dolor. Pueden combinar también rayos infrarrojos con efecto calor para potenciar los efectos.

· **Adaptadores para zonas inaccesibles de automasaje:** incluyen un brazo largo para llegar por nosotros mismos a la espalda o a los pies. Otros consisten en un trenzado de cuerdas entre las que se intercalan piezas rodantes, a modo de collar, y que al frotarlas por la espalda con nuestras dos manos, provocan sensaciones muy placenteras.

· Masaje de cabeza y cuero cabelludo: produce una de las sensaciones más placenteras del cuerpo. Esta zona, por su difícil acceso, no la tocamos frecuentemente y esto hace que sea más sensible y receptiva al masaje. Aunque podemos masajear con nuestros dedos, incluyendo el pelo, existen aparatos adaptados a la forma de la cabeza y que penetran hasta el cuero cabelludo con mayor facilidad, gracias a sus finos filamentos.

· El hidromasaje: constan de diferentes chorros de agua y aire que percuten nuestra piel en diferentes posiciones. Tienen gran intensidad y consiguen una profunda relajación muscular.

· Hidromasaje vibratorio para pies: sentado en una silla cómoda, introducimos los pies en un pequeño recipiente cubierto de agua a diferentes temperaturas hasta la altura de nuestros tobillos. La superficie donde apoyamos las plantas tiene diferentes texturas rugosas, con pequeños salientes que provocan puntos de mayor presión. Además de todo ello, esta superficie vibra, provocando una sensación muy placentera de masaje directo en la planta del pie y a través de las ondas que transmite al agua, en el resto de la superficie cutánea. Además de un potente efecto relajante, ayuda al retorno sanguíneo mediante la estimulación de la bomba plantar.

· Sillones de masaje: se basan en la vibración y percusión de toda su superficie para abarcar todo el cuerpo a la vez, mientras descansamos en una posición placentera.

· Masajes manuales estéticos: este tipo de utensilios tiene habitualmente forma de guante y buscan potenciar los efectos estéticos del masaje. Su principal característica son las texturas rugosas diferentes, para conseguir exfoliación (eliminación de capas superficiales de la piel que contiene células muertas, para mostrar las capas más profundas por su mejor aspecto), efectos anticelulíticos y circulatorios.

· Aparatos de presión: nos ayudarán a realizar las técnicas de masaje de presión, que suelen ser muy incómodas de realizar con nuestras manos, ya que debemos mantenernos en una posición fija durante mucho tiempo ejerciendo una presión constante. Este tipo de mecanismos sencillos nos facilitan el trabajo, ya que tienen distintas formas que se asemejan a la de nuestros dedos, nudillos o palmas de las manos. Cuanto más puntual, mayor presión ejerceremos. En el masaje relajante recomendamos el uso de rebordes redondeados y amplios para no provocar dolor.

LOS PRINCIPIOS DEL MASAJE

· Nunca se debe provocar dolor al dar un masaje. El dolor será la medida de la intensidad y nos indicará cuándo estamos haciendo mal una técnica de masaje. Debemos preguntar

En el mercado existen infinidad de artículos que nos ayudan a dar masajes relajantes que por sus características táctiles estimulan de diferentes maneras la piel.

constantemente a la persona para asegurarnos que las sensaciones que provocamos son agradables. Existen zonas que debemos evitar masajear. Son zonas con vasos, ganglios linfáticos o nervios importantes, como detrás de las rodillas, ingles, axilas o zona anterior del cuello o zonas con huesos muy superficiales, como la columna vertebral.

· La velocidad con que realizamos los pasajes en el masaje relajante será muy baja. Repetiremos varias veces la misma técnica avanzando lentamente por la piel. Sin ser estrictos y a modo orientativo emplearemos un segundo en hacer cada pasaje. Lo fundamental es que al comenzar el masaje realicemos los pasajes muy lentamente y vayamos aumentando la velocidad hasta la mitad del masaje, para luego ir descendiendo progresivamente hasta acabar.

· La intensidad: sentir en nuestro propio cuerpo la presión de las manos de otra persona nos ayuda a entender las sensaciones que provocamos. La percepción de cada persona varía, por ello debemos preguntar constantemente. Comenzaremos con técnicas suaves y progresivamente imprimiremos más fuerza. Al finalizar el masaje la intensidad disminuirá de manera contraria.

· Comenzaremos con un apoyo fijo de la palma de las manos durante varios segundos sobre la zona que vamos a masajear. Esto servirá para «romper el hielo». A partir de entonces no perderemos el contacto. Aún cuando tengamos que usar más lubricante, que sería la única razón para interrumpir el masaje, debemos dejar una mano apoyada sobre la persona.

· En el masaje relajante no existen reglas estrictas que impidan hacer los pases de mano en alguna dirección determinada siempre que la persona esté completamente sana. Sin embargo, es preferible seguir el sentido del retorno de la circulación venosa, hacia el corazón.

· La mayor fuerza que debemos realizar con nuestras manos es en dirección paralela a la piel. No debemos presionar fuerte hacia la superficie sobre la que reposa la persona ya que la sensación que provocamos es muy desagradable, similar a la de «hundirse o clavarse».

¿QUÉ PEDIMOS A LA PERSONA QUE RECIBE EL MASAJE?

La persona que está recibiendo un masaje debe abandonarse a las sensaciones. No debe pensar en nada, sólo concentrarse en su respiración y en las sensaciones que el masaje le provoca. No tiene que ayudar en nada a la persona que le está dando el masaje e intentar relajar al máximo su musculatura, sintiendo que cada vez su cuerpo pesa más. Esta actitud pasiva debe romperse solo para indicar a la otra persona los pasajes y zonas que más bienestar le producen.

Hidromasaje vibratorio para los pies con diferentes texturas rugosas de efecto directo sobre la piel.

02 TÉCNICAS Y TÉRMINOS BÁSICOS DEL MASAJE RELAJANTE

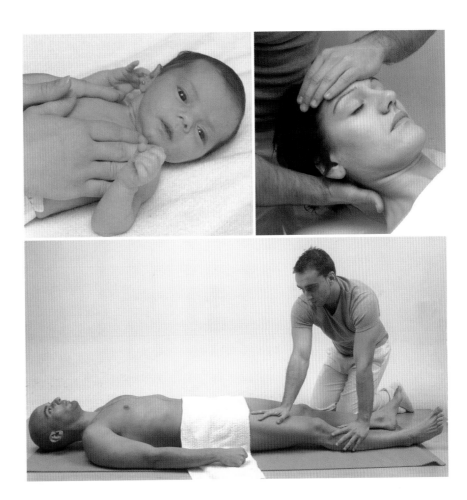

LAS DISTINTAS TÉCNICAS O TOQUES DE MASAJE SE DIFERENCIAN SEGÚN LA PARTE DE LA MANO CON LA QUE SE REALIZAN, LA PRESIÓN Y LOS EFECTOS. EN EL MASAJE RELAJANTE SE EVITARÁ USAR MOVIMIENTOS QUE IMPLIQUEN UNA FUERTE PRESIÓN QUE PUEDA PROVOCAR DOLOR.

DEBEMOS ADECUARNOS A CADA PERSONA Y JAMÁS SEGUIR UNA RUTINA DE MASAJE ESTANDARIZADA. SIN EMBARGO, LA DISPOSICIÓN DE LOS TOQUES A CONTINUACIÓN DESCRITOS NO ES AL AZAR, SINO QUE PRETENDE ORIENTARNOS AUMENTANDO PROGRESIVAMENTE LA INTENSIDAD DE CADA PASE, SEGÚN LOS PRINCIPIOS DEL MASAJE.

La dirección de los movimientos será preferiblemente desde las zonas más alejadas hacia dentro, hacia el centro del cuerpo. De esta manera favoreceremos el retorno de la sangre hacia el corazón canalizado por las venas. Los pasajes suaves se podrán realizar en sentido inverso, siempre que nos aseguremos de que la persona no sufra una alteración circulatoria, y la técnica no comprometa el buen funcionamiento del sistema sangre-linfa. Por ello es muy importante un amplio conocimiento de las posibles enfermedades, además de un manejo apropiado de la técnica del masaje.

FROTACIÓN, ROCE O EFFLEURAGE

En el masaje de frotación, la palma de la mano o los dedos se deslizan paralelamente a la piel sin ejercer mucha presión hacia el cuerpo, sin presionar ni arrastrar tejidos más profundos como el músculo. Debemos poner la mayor superficie posible de nuestra mano en contacto con el cuerpo de la persona, para aumentar la sensación del masaje. Dependiendo de la intensidad de la técnica lo llamaremos roce superficial o profundo. Lo habitual es realizarlo siguiendo la dirección de las fibras musculares situadas bajo nuestras manos, que generalmente son longitudinales, es decir, a lo largo del cuerpo .

· **Pasajes sedantes magnéticos:** se trata de un roce reiterado y muy superficial con la yema de los dedos que comprende grandes zonas corporales. Provoca unas sensaciones muy agradables y adecuadas para comenzar o finalizar el masaje. Se le conoce con este nombre debido a que la sensación que produce es como una suave corriente eléctrica.

· **Frotación superficial:** deslizamos la mano sobre la piel con toda la palma abierta y abarcando la mayor superficie posible. Realizamos pases lentos pero constantes, sin que la persona note «saltos». Nuestra mano debe adaptarse a las características de cada zona, nunca al contrario, sin forzar ninguna estructura. Podemos deslizar la mano en cualquier dirección, pero preferiblemente de manera longitudinal y en dirección hacia el corazón. Con esta técnica favorecemos la circulación venosa y linfática. Por su efecto analgésico y relajante de la musculatura, sirve de preparación previa a técnicas más energéticas.

· **Frotación profunda:** deslizamos la mano sobre la superficie de la piel, pero esta vez la mano debe ser más rígida, menos flexible, de modo que no se adapta tan rigurosamente a las diferentes zonas corporales. De esta manera conseguimos forzar suavemente las estructuras donde se acumula la tensión, menos flexibles y por ello más sensibles. Tiene un mayor efecto beneficioso sobre la circulación venosa. En el masaje relajante la presión que realizamos dependerá de la tolerancia de cada persona.

· **Vaciado venoso:** realizamos un roce superficial en dirección de vaciamiento venoso hacia el corazón. La mano se desliza por la piel desde su borde lateral del dedo meñique hasta quedar apoyada toda la palma con un movimiento rotatorio de la muñeca. Es muy habitual usarla en los cambios de una técnica a otra, realizando entre dos y cinco repeticiones, mejorando el retorno venoso de la zona que estamos masajeando.

En el masaje de frotación debemos poner la mayor superficie posible de nuestra mano en contacto con el cuerpo de la persona.

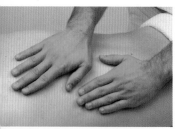

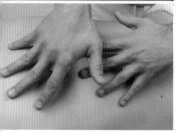

FRICCIÓN

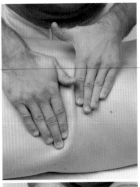

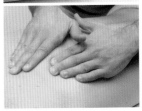

En el movimiento de fricción no hay deslizamiento de la mano sobre la piel, sino que la fijamos firmemente para conseguir desplazar la piel sobre el tejido celular subcutáneo y actuar sobre tejidos más profundos. Provocamos una mayor presión hacia el cuerpo, siempre dentro del límite relajante no doloroso. Realizaremos la fricción circular en zonas planas y de manera longitudinal en las extremidades. En el masaje relajante podemos usar los dedos para realizar esta técnica, pero de manera poco profunda, ya que de otra manera solamente está indicado en tratamientos terapéuticos de zonas concretas. La mejor zona de contacto será toda la palma de la mano o si queremos hacerlo de manera más energética, con el talón de la misma. Cuando realizamos una fricción más superficial obtendremos un efecto analgésico y si aumentamos la profundidad, mejorará la relajación de las tensiones musculares.

Las direcciones del movimiento de las manos pueden ser:

· Realizando pequeñas sacudidas por medio del apoyo de toda la palma de la mano.

· Desplazando el tejido en direcciones opuestas de modo que obtengamos un ligero cizallamiento de la zona.

· Desplazándolas en la misma dirección para desplazar todo el tejido cutáneo de una zona sobre su zona subyacente.

· Mediante pequeños círculos fijos en una zona puntual, sin hacer presión profunda y nunca en zonas peligrosas como rebordes óseos (por ejemplo las zonas vertebrales) y zonas con vasos, nervios o ganglios importantes.

Los movimientos de fricción profundos rebajarán las tensiones musculares de la persona que va a recibir el masaje.

AMASAMIENTO O PETRISSAGE

Es una técnica más intensa, más energética y más profunda que las anteriores. Con ella buscamos la compresión y manipulación de los músculos y los tendones directamente. Es una técnica muy efectiva para «disolver» la tensión acumulada en los músculos. Obtendremos mejoría de la circulación venosa y linfática, y disminución de las adherencias, al provocar la eliminación de sustancias de desecho celulares de las que se componen.

Diferenciamos el tipo de amasamiento también según la zona de la mano que empleemos:

· **Amasamiento digito-palmar:** es el más útil y empleado. Se realiza con ambas manos fijando el tejido muscular entre el dedo pulgar de una y el resto de los dedos de la otra. Primero presionarán para luego ir estirando con una ligera torsión y tracción del músculo con ambas manos en direcciones opuestas. Lo más habitual es realizar los movimientos de la mano perpendicularmente a las fibras musculares.

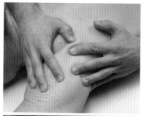

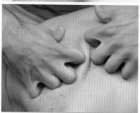

· **Amasamiento digital:** movimientos circulares con todos los dedos menos el pulgar sobre la superficie muscular. La dirección de avance será paralela a las fibras musculares.

· **Amasamiento nudillar:** realizamos un movimiento circular con la zona de las falanges, es decir con los dedos flexionados y contactando con la piel por la cara no palmar de los dedos. Debemos usar toda la falange de nuestro dedo, y no sólo el borde óseo, y con poca presión para no provocar dolor.

· **Amasamiento pulpo pulgar:** consiste en movimientos circulares simultáneos o alternativos con los dos dedos pulgares sobre la misma zona, movilizando los músculos por debajo de ellos. Los círculos se dibujan en la piel en direcciones opuestas con cada pulgar, para traccionar los tejidos. El avance del movimiento se hará paralelamente a las fibras musculares.

PERCUSIÓN

Se realiza mediante el golpeteo suave de la zona con nuestras manos colocadas en diferentes posiciones, pero en todas ellas muy relajadas. Se realiza de manera reiterativa y lo más común es alternar ambas manos en el movimiento. Al igual que en otras técnicas iremos aumentando la intensidad progresivamente, siempre dentro de los límites del masaje relajante. Debemos tener gran precaución de no realizar esta técnica en zonas no adecuadas, como zonas con rebordes óseos superficiales, zonas con vasos, nervios o ganglios importantes (como ingles, corvas, cara anterior del cuello, axilas) y zonas huecas o con vísceras en su interior (abdomen). Además de suponer un riesgo, la percusión en dichas zonas no produce sensaciones relajantes agradables.

Entre los efectos encontramos una activación general de la circulación y estimulación de las terminaciones nerviosas cutáneas muy efectiva para eliminar la tensión y favorecer la sensación de bienestar que provoca la relajación.

· **Borde cubital o cachete cubital (borde lateral de la mano del lado del dedo meñique):** podemos usar los dedos o la parte de la mano, según la firmeza que queramos imprimir.

· **Yema de los dedos o tecleteos:** pases rápidos de apoyo de la yema de los dedos a modo de teclas de máquina de escribir, con pequeños toques desde el dedo meñique al índice.

· **Palma de la mano cóncava:** colocando la mano en forma de cuenco, hueca, golpeamos dejando una pequeña cámara de aire entre la mano y la piel. Para saber si estamos realizando bien la técnica, nos podemos orientar por el sonido que producimos: debe ser sordo, hueco, como el descorche de una botella y nunca como una palmada.

· **Nudillos:** si invertimos las manos, podemos golpear suavemente con los nudillos.

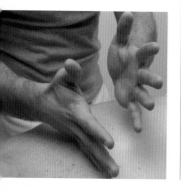

VIBRACIÓN

Al igual que en la fricción, no existe desplazamiento entre la mano y la piel. Se encuentran en firme contacto, para que podamos transmitir las vibraciones producidas en nuestro brazo por la contracción rápida y rítmica de los músculos del antebrazo y hombro. Debemos diferenciarlas de las sacudidas propias de la fricción, ya que sólo debemos provocar pequeños temblores. Para que exista una buena sensación por parte del sujeto, debemos realizarla con toda la palma de la mano apoyada. Es una técnica muy cansada para quien la realiza, por lo que deberemos utilizarla durante periodos cortos y no cubriendo grandes zonas. Provoca efecto sedante, relajante y de bienestar.

PELLIZCAMIENTO

Por medio de los dedos se coge un repliegue de piel y lo separamos suavemente de los tejidos más profundos. Es muy eficaz en la eliminación de adherencias en zonas donde el aporte de sangre está reducido por diferentes causas, y por tanto se acumulan sustancias de desecho del metabolismo celular. Es una técnica a menudo muy dolorosa, por lo que se evitará realizarla en el masaje relajante siempre que así sea. Será mejor tolerada en zonas donde la piel es más elástica y abundante, como en la zona alta de la espalda y muslo.

Pinzado rodado: se toma un pliegue de la piel entre el dedo índice y pulgar de la misma mano. Este último dedo empujará el pliegue para hacerlo rodar como una ola a lo largo de un trayecto longitudinal. Tomaremos el mismo pliegue cutáneo con ambas manos a la vez, abarcando más zona cutánea.

Pellizco con tracción: se toma el mismo pliegue cutáneo entre el dedo pulgar y el resto de los dedos de cada mano. Una vez fijados, realizaremos una suave tracción llevando las manos en direcciones opuestas y provocando la elongación longitudinal del pliegue.

Picoteos: consiste en realizar pellizcos suaves, constantes y de manera reiterada. Se realiza haciendo «pinza» entre los dedos índice y pulgar alternativamente con cada mano.

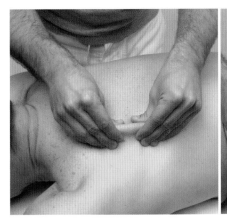 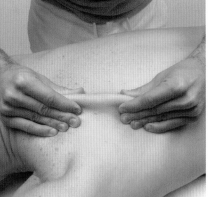

La vibración debemos realizarla con toda la palma de la mano apoyada y durante cortos periodos.

El pellizcamiento se utiliza, entre otras cosas, para la eliminación de adherencias.

Existen puntos muy concretos en el cuerpo donde las técnicas de presión provocan fuertes sensaciones de descarga y relajación.

PRESIÓN

Esta técnica consiste en hacer una presión fija en determinados puntos o zonas de diferente amplitud. Lo más habitual es hacer una presión estática, es decir, sin deslizamiento de nuestras manos en la piel. Existen puntos muy concretos en el cuerpo donde este tipo de pasajes provocan una fuerte sensación de descarga y de relajación ya que son zonas donde acumulamos la tensión frecuentemente.

Todos hemos sentido alguna vez dolor puntual en la zona alta de los hombros, o en la parte baja de la espalda, en los gemelos o encima del ojo. En el masaje relajante este tipo de técnicas requieren que la presión no sea muy fuerte, ya que podríamos provocar dolor y obtendríamos el efecto contrario no deseado. El tiempo de mantenimiento de la presión es de aproximadamente 90 segundos.

La precaución que debemos tener con esta técnica es que sólo se puede aplicar en zonas determinadas, generalmente en vientres musculares o fascias (tejidos blandos) y nunca en zonas óseas o que contengan vísceras.

· **Presión puntual:** con nuestro dedo pulgar hacemos una suave presión y mantenemos con la misma intensidad. Si apreciamos durante el minuto y medio que los tejidos situados debajo de nuestro dedo ceden y se hacen más suaves, entonces podemos aumentar un poco más la intensidad de la presión, siempre progresivamente y sin provocar dolor. Si por el contrario notamos que la tensión de la zona aumenta o que la persona no se relaja, es que la intensidad es excesiva y debemos reducirla.

· **Presión con los nudillos:** usando uno o dos, para ayudarnos en zonas donde la presión que debemos ejercer es mayor y puede resultar doloroso para nuestros dedos.

· **Presión con los puños:** útil para abarcar zonas amplias, como el glúteo.

La presión no se realizará nunca en zonas óseas o que contengan vísceras.

· **Presión con ambas palmas:** colocamos ambas manos sobre zonas simétricas del sujeto y hacemos presión sobre todo con el talón de la palma. Además ejerceremos fuerza paralelamente a la piel y en direcciones opuestas con cada mano, para conseguir estirar o cizallar la zona.

· **Presión con los pies:** no es habitual usar los pies en el masaje relajante clásico, pero existen numerosas culturas donde sí se usa. Las personas que lo aplican tienen poco peso, habitualmente niños, y en caso de realizarlo un adulto siempre debe descargar peso ayudándose de las manos en algún mueble. La capacidad de movimiento de los pies es claramente más limitada que la de las manos, por lo que la relajación se consigue básicamente a través de la presión que se aplica sobre la musculatura. Es útil para las zonas baja y media de la espalda.

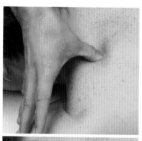

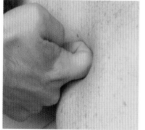

ANTES DEL MASAJE: EJERCICIOS DE PREPARACIÓN PARA LAS MANOS Y DEDOS

La preparación de las manos es muy importante. Debemos realizar un calentamiento previo antes de iniciar el masaje, para evitar problemas futuros en las articulaciones.

Comenzamos haciendo círculos suaves con nuestras muñecas, primero en una dirección y luego en la otra, con el puño cerrado.

Flexión hacia delante y atrás de las muñecas y luego lateralmente a cada lado, todavía con el puño cerrado.

Abrimos y cerramos la mano lentamente, todo lo que podamos.

Con la mano abierta, giramos el codo para colocar reiteradamente la palma de la mano arriba y abajo.

Con una mano estiramos uno a uno los dedos de la otra, realizando una ligera tracción hacia fuera abarcando todo el dedo desde la base hasta la punta.

De la misma manera, realizamos rotaciones suaves desde la punta de cada dedo hasta su base.

Pinzas o contacto de las yemas de los dedos con el dedo pulgar uno a uno.

Tecleteos alternativos con los dedos en el aire.

Separar y juntar dedos en forma de abanico.

Palmadas alternativamente con una mano cerrada en puño y la otra abierta.

Estiramiento global de palmas y dedos, entrecruzando ambas manos y estirando los brazos al frente.

Círculos con los hombros y brazos.

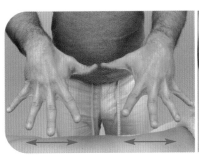

Terminología del masaje: breve diccionario

En el mundo del masaje existen muchas palabras técnicas de las cuales debemos conocer el significado, para poder ampliar nuestros conocimientos sin limitaciones. A continuación se recogen una lista de las más importantes clasificadas según el campo al que pertenecen.

DIFERENTES ELEMENTOS ANATÓMICOS:

Abdomen: zona inferior del tronco que contiene las vísceras que componen el aparato digestivo y no está protegida por huesos, sino por los potentes músculos abdominales.

Arteria: vaso del sistema circulatorio que conduce la sangre desde el corazón a todas las partes del cuerpo.

Articulación: la articulación es la unión de dos o más huesos y donde se producen los movimientos del cuerpo.

Caja torácica: estructura compuesta por huesos: costillas, esternón y columna dorsal que protege el tórax y todo lo que contiene.

Digital: referente a los dedos.

Hemilado o hemicuerpo: referente a una de las dos mitades en que queda dividido el cuerpo si trazamos el eje imaginario longitudinal.

Hueso: tejido duro y a pesar de lo que habitualmente se piensa, vivo. Los huesos están en constante proceso de regeneración y cambio, por lo que se hacen completamente nuevos cada varios años, dependiendo de la cantidad de masa ósea de cada uno. Sirven para formar la estructura estable y fija del cuerpo humano.

Ligamento: tejido blando, más resiste que el músculo y sin capacidad de contraerse. Se encuentra uniendo siempre dos o más huesos para mantenerlos ligados correctamente en las articulaciones, y gracias a su elasticidad, permite un movimiento controlado en ellas.

Línea alba: línea central que divide el abdomen en dos hemilados verticalmente. Es paralela al eje longitudinal del cuerpo y forma parte del músculo recto abdominal. Es una gran zona de entrecruzamiento de tensiones musculares.

Músculo: es un tejido blando con capacidad de contraerse y relajarse, por lo tanto es el máximo responsable del movimiento del cuerpo. Se une a los huesos a través de los tendones y está cubierto por un tejido de color blanco o transparente llamado fascia. El origen y la inserción de los músculos son las zonas donde se unen a las partes fijas como los huesos.

Tendón: tejido blando que sirve de unión entre el músculo y el hueso. Tiene menor capacidad para contraerse y relajarse que el músculo.

Tórax: zona superior del tronco que contiene los pulmones y el corazón. Está separado del abdomen por el diafragma, principal músculo de la respiración.

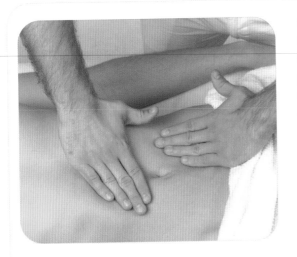

Vena: vaso del sistema circulatorio que conduce la sangre desde todas las células del cuerpo hasta el corazón. Es falsa la creencia habitual de que las arterias conducen sangre oxigenada y rica en nutrientes mientras que las venas conducen sangre «mala». Esto solo es cierto en la circulación mayor, ya que en el circuito menor de la sangre, que la bombea hacia los pulmones, esta situación se invierte.

Zona cervical: zona alta de la espalda y cuello. Está formada por las siete primeras vértebras de la columna y los músculos que se unen a ellas.

Zona dorsal: zona media de la espalda. Compuesta por doce vértebras de la columna, las costillas y la musculatura que las relaciona.

Zona lumbar: zona baja de la espalda, denominada así porque contiene las vértebras lumbares de la columna. Está formada por cinco vértebras.

EL MÚSCULO Y LA RELAJACIÓN

Adherencias: las células de nuestro cuerpo necesitan para su correcto funcionamiento oxígeno y nutrientes. Estas sustancias llegan a todos los puntos de nuestro cuerpo transportadas por la sangre que circula por los vasos y con ellas se producen miles de reacciones

químicas en lo que conocemos como metabolismo celular. El resultado será la liberación de energía y diferentes tipos de sustancias que la célula necesita para vivir. Pero también se producen como resultado de estas reacciones químicas sustancias de desecho que no son útiles y que hay que eliminar del organismo porque pueden incluso ser nocivas. El sistema circulatorio será de nuevo el encargado de transportar estas sustancias desde la célula hasta el lugar de su eliminación. Este complejo sistema de transporte se puede alterar por diferentes causas en las células de los músculos, entre ellas el aumento de la tensión, falta de relajación, contracturas, fatiga o falta de elasticidad. Se verá entonces comprometido el correcto metabolismo de la célula y la consecuente acumulación de sustancias sobrantes en los tejidos cercanos a ella. Las adherencias son las zonas de tejidos que han perdido su capacidad de deslizarse libremente unos sobre otros por este fenómeno. Con el masaje conseguimos que vuelvan a recuperar su movilidad y que aumente el riego sanguíneo en la zona para recuperar la correcta llegada y eliminación de sustancias del metabolismo.

Contracción muscular: capacidad que tienen los músculos de disminuir su longitud y después recuperar su estado normal espontáneamente.

Contractura muscular: el músculo disminuye su longitud de manera incorrecta por diferentes causas como el dolor, el estrés, la tensión, el cansancio, diferentes lesiones o falta de relajación y no es capaz de regresar a su estado de longitud habitual.

Elongar: aumentar la longitud de una estructura extensible mediante estiramientos.

Estiramientos: son ejercicios que sirven para aumentar la longitud de los músculos y los tendones, prolongándolos. Son útiles para mejorar la flexibilidad general del cuerpo.

Flexibilidad: capacidad de mejorar la movilidad de las articulaciones y aumentar la longitud de los elementos que las rodean como los músculos, tendones y ligamentos.

Relajación: la relajación es un estado de reposo físico y mental. En la parte física se refleja mediante la disminución de la tensión o el tono muscular, dejándolos en completo abandono. En la parte mental incluye la liberación de todas las preocupaciones.

Tensión o tono muscular: El músculo nunca está completamente relajado, sino que tiene una pequeña tensión incluso en reposo. De no ser así, no seríamos capaces de mantenernos de pie, y seríamos «blanditos». Esta tensión es normal si se mantiene dentro de unos límites aceptables. El estrés y la falta de relajación puede causar un excesivo aumento de esta tensión de base.

EFECTOS DEL MASAJE

Efectos mecánicos: son aquellos que provocamos directamente sobre los tejidos que manipulamos por el efecto de las diferentes fuerzas de nuestras manos.

Efectos reflejos: efectos que producimos a distancia en zonas del cuerpo diferentes a la que estamos masajeando. Se producen gracias a las conexiones nerviosas entre las diferentes partes del cuerpo, como la relajación muscular provocada por la tensión psicológica. Estos efectos son la base que explica las técnicas de masaje de la reflexología.

Técnicas energéticas: terapias alternativas especializadas en la manipulación energética.

DIRECCIONES DE MASAJE

Cizallar: un movimiento deslizante y paralelo con ambas manos, pero en sentidos opuestos. Conseguimos con ello la torsión del tejido que queda entre ambas manos.

Comprimir: dirigimos nuestras manos sobre la misma línea imaginaria y en dirección a su unión, consiguiendo el aplastamiento del tejido que se sitúa en medio.

Longitudinal: movimiento de las manos que es paralelo al eje de la altura del cuerpo. El desplazamiento es hacia todo lo largo del cuerpo o de un músculo.

Traccionar: el movimiento de las manos se hace sobre la misma línea imaginaria, pero cada una se desplazará en sentidos opuestos, estirando el tejido que queda entre ambas. Es lo contrario a comprimir.

Transversal: movimiento que desliza las manos siguiendo el ancho del cuerpo o de un músculo. Es el perpendicular al eje longitudinal.

 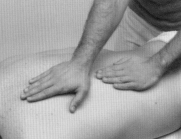 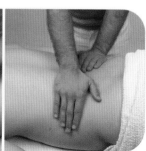

DIFERENTES POSICIONES DEL CUERPO

Abducción: apertura, separación de una parte respecto a la otra y respecto al eje longitudinal del cuerpo.

Aducción: cierre, acercamiento de una parte respecto a la otra y respecto al eje longitudinal del cuerpo.

Decúbito lateral: Tumbado sobre un lado, apoyando un costado u otro sobre el plano de apoyo.

Decúbito prono o ventral: tumbado boca abajo, con el vientre apoyado en el plano de apoyo.

Decúbito supino o dorsal: tumbado boca arriba, con la espalda apoyada en el plano de apoyo.

LA RESPIRACIÓN

La respiración es una importante característica de la relajación. Debemos conocer bien sus fases para poder controlarla y usarla en la eliminación del estrés.

Apnea: fase de retención del ritmo pulmonar, manteniendo el aire quieto, sin entrar ni salir. Usado durante breves segundos puede ser útil para eliminar el estrés acumulado, mediante el control consciente de la respiración y dirigiendo el aire a diferentes localizaciones dentro de los pulmones, manteniéndolo allí.

Espiración: es la fase contraria a la espiración, en la que expulsamos el aire de los pulmones. Debe realizarse a través de la boca, con los labios fruncidos, para que el flujo de aire salga lentamente. Es un proceso completamente pasivo, es decir que no participa ningún músculo para comprimir los pulmones. Son los propios pulmones, por sus características elásticas, los que vuelven a su posición de reposo, «vaciándose» de aire. Solo participarán los músculos denominados espiratorios, como los intercostales, cuando tengamos una espiración forzada porque el ritmo respiratorio ha aumentado, como cuando hacemos ejercicio, por ejemplo. Para realizar una espiración relajante debemos expulsar todo el aire de nuestros pulmones, incluso de su parte más baja, deshinchando el abdomen y forzando un poco la espiración al final.

Inspiración: es la fase de introducción del aire en los pulmones. Debe realizarse a través de las fosas nasales y nunca desde la boca. Las fosas nasales están preparadas para canalizar el aire, purificarlo y calentarlo para que llegue adecuadamente a los alvéolos, donde se realizará el intercambio de gases con la sangre. Se realiza gracias al músculo diafragma y el resto de musculatura inspiratoria que distienden los pulmones para que se llenen de aire. Para obtener una eficaz técnica relajante debemos dirigir el aire hacia la parte baja de los pulmones, es decir hinchando el abdomen.

03 MASAJE RELAJANTE PARA LA ESPALDA

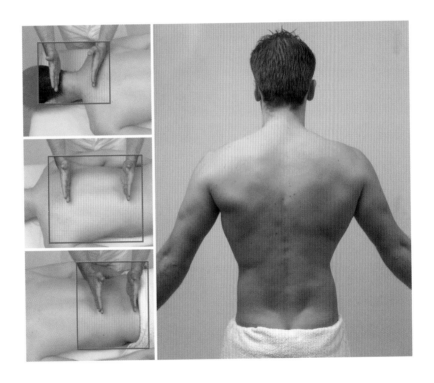

La espalda se divide en tres zonas: superior o cervical, media o dorsal e inferior o lumbar. Las zonas donde más se acumula la tensión son la zona superior e inferior, pero debemos considerar la columna vertebral como una globalidad, ya que la tensión se traslada de unas zonas a otras.

Es una de las zonas corporales con mayores terminaciones sensitivas por centímetro cuadrado y que habitualmente no está expuesta al contacto, por lo que el masaje relajante de espalda resulta muy agradecido.

DIRECCIONES DEL MASAJE

La dirección ideal de las técnicas que realicemos, como ya sabemos, es hacia el corazón para favorecer el retorno de la sangre por las venas. Según este principio, en la zona baja y media de la espalda desplazaremos nuestras manos desde las nalgas hacia arriba y en la zona alta desde la cabeza hacia abajo. También nuestros pasajes manuales se desplazarán desde la zona central de la espalda, siempre evitando la columna, hacia cada lateral. Estas reglas no son estrictas en las técnicas que sean de poca presión.

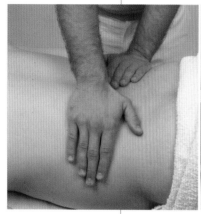 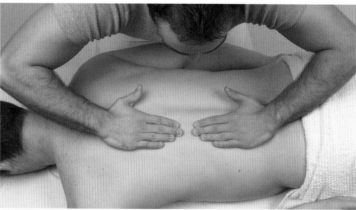

El masaje es un conjunto de movimientos ejecutados con las manos sobre las diferentes regiones del cuerpo.

ZONAS QUE DEBEMOS EVITAR

En el masaje relajante de espalda nos centraremos en la musculatura que protege y rodea la caja torácica, cuello y región lumbar. Esta musculatura está muy relacionada con estructuras óseas muy importantes y vitales del organismo como la columna vertebral. Cuando estemos aplicando un masaje relajante debemos evitar masajear la zona de la columna, de la cual percibiremos sobre todo pequeños relieves óseos en el centro de la espalda llamados apófisis espinosas. También evitaremos hacer presión excesiva en las zonas musculares cercanas a ella (músculos paravertebrales).

Tampoco debemos hacer presión fuerte hacia la camilla en la zona lumbar, ya que aumentaríamos la curva de la columna en esa zona y provocaríamos dolor, ni tampoco en la zona de las escápulas.

PRECAUCIONES

Nunca debemos dar un masaje relajante sin conocer los posibles problemas de espalda que pueda padecer la persona y por los cuales debemos consultar a un profesional de la salud.

Lo habitual para dar un masaje de espalda es colocar a la persona boca abajo. Esta postura tenemos que evitarla en sujetos con problemas respiratorios y personas mayores, siendo más ventajoso el masaje sentado.

LA POSICIÓN ADECUADA: AHORA EL QUE NECESITA UN MASAJE SOY YO

De todos es conocido que la espalda es una de las zonas donde más tensión acumulamos. Las posturas inadecuadas en casa o en el trabajo mantenidas durante largo tiempo nos acaban sobrecargando la musculatura, tanto como el estrés. Evitarlas es fundamental para conseguir que los efectos relajantes del masaje se mantengan en el tiempo.

La persona que da el masaje debe ser un buen ejemplo de este principio, ya que con la experiencia nos daremos cuenta del gran gasto energético que supone proporcionar a otra persona el placer del masaje. Al igual que en cualquier otra actividad repetitiva, al dar masajes sobrecargaremos nuestra espalda si no seguimos unas sencillas reglas:

· No debemos flexionar el tronco en exceso.

· No debemos aplicar esta fuerza directamente con los brazos, sino con nuestro propio peso sobre ellos.

· Para poder cumplir con los principios anteriores, la camilla debe estar aproximadamente a la altura de la cadera de la persona que da el masaje. Si estuviese demasiado baja nos obligaría a flexionar y forzar la espalda o si por el contrario estuviese demasiado alta, sobrecargaríamos los brazos.

La camilla debe estar situada a la altura de la cadera del masajista, el cual deberá mantener la espalda recta y no doblarla (como en la fotografía central).

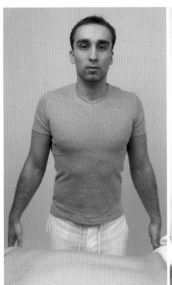

MASAJE RELAJANTE PARA LA ESPALDA

Situamos a la persona boca abajo, con los brazos extendidos a lo largo del cuerpo. Si disponemos de camilla con orificio para la cabeza la postura será más correcta porque la columna se encontrará en perfecto alineamiento.

De no ser así, rotaremos la cabeza cada cierto tiempo a un lado para evitar el dolor al mantener la postura forzada durante mucho tiempo. Cuando estemos masajeando la zona alta, pediremos a la persona que coloque sus manos delante apoyadas en la camilla para que pueda descansar la frente en ellas.

Lo habitual para dar un masaje de espalda es colocar a la persona boca abajo. En sujetos con problemas respiratorios y persona mayores realizaremos el masaje con la persona sentada.

La persona que aplicará el masaje debe disponer de espacio suficiente para desplazarse alrededor de la camilla. Existen técnicas del masaje que se realizarán primero en un lado de la espalda y luego en el otro, nunca toda la espalda a la vez, por lo que se requerirá facilidad para nuestro constante desplazamiento. Nos colocaremos siempre en el lado contrario al de la espalda que estamos masajeando. Para los toques que se realizan con una mano en cada lado de la espalda nos situaremos a la cabeza de la camilla si nos desplazamos con nuestras manos de arriba hacia abajo o a un lado de la camilla si las desplazamos de abajo hacia arriba. Durante estos constantes cambios de posición, la persona no puede notar interrupciones en el masaje ni debemos perder el contacto de las manos con su piel.

COMENZANDO POR LA ESPALDA

La experiencia nos hará desarrollar la destreza para continuar las técnicas de un lado al otro sin «cortes», pero para los que están iniciándose pueden aplicar el siguiente truco: los desplazamientos que realicemos de un lado a otro de la camilla debemos hacerlos por la zona de la cabeza y nunca por los pies, ya que perderíamos todo contacto con la espalda al no alcanzar la longitud de nuestros brazos. Cuando estemos situados a la altura de la cabeza, nos pararemos para realizar tres repeticiones del pasaje de vaciado venoso y después continuaremos nuestro giro con el cuerpo hacia el otro lado.

Vaciado venoso: nos situamos a la cabeza de la persona y colocamos una mano a cada lado de la columna apoyándolas sobre el borde del dedo meñique. Rozando suavemente desde la columna hacia cada lado, desplazamos y giramos las manos hasta quedar

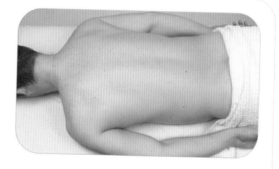

apoyada toda la palma en ambos costados del cuerpo. Este pasaje tiene como función descongestionar la circulación de la zona, mejorando la llegada de la sangre al corazón a través de las venas. Provoca además una agradable sensación de bienestar por lo que debemos aplicarla lentamente para estimular eficazmente los receptores cutáneos.

A continuación pediremos a la persona que se coloque boca arriba, para finalizar con las técnicas más agradables y unos suaves estiramientos.

TOMA DE CONTACTO

Cubriremos todas las zonas de la espalda con los siguiente pasajes.

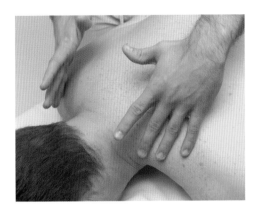

01. PASAJES MAGNÉTICOS

Nos situamos a un lado de la camilla. Comenzamos el masaje rozando suavemente con la yema de los dedos desde la zona del cuello, incluyendo el pelo, y descendiendo por la espalda paralelamente a la columna vertebral. Trazaremos líneas paralelas por ambos lados de la espalda, incluyendo los brazos, situados a lo largo del cuerpo, hasta las manos. Comenzaremos muy lentamente para que el sujeto se acostumbre al primer contacto e iremos aumentando la velocidad progresivamente.

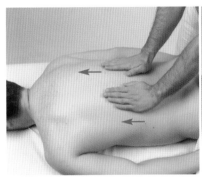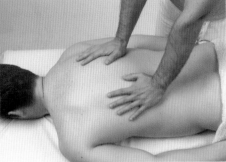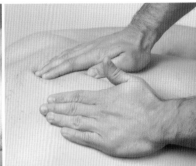

02. ROCE SUPERFICIAL EN LA ZONA MEDIA Y BAJA DE LA ESPALDA

Situados en un lateral de la camilla, deslizamos suavemente la palma de la mano desde la zona lumbar, sin presionar, hasta la línea de los hombros, evitando la columna vertebral.

03. ROCE SUPERFICIAL EN LA ZONA ALTA DE LA ESPALDA

Nos cambiaremos de posición para situarnos a la cabeza de la camilla y de la persona. La zona alta de la espalda es más delicada por lo que sólo apoyaremos los dedos de las manos para deslizarlos por los laterales de la columna cervical, palpando toda la musculatura hasta llegar a la zona de los hombros con toda la palma.

Masaje relajante para la espalda

04. VIBRACIONES CON LA PALMA

Continuamos en la misma posición. Apoyando la palma de la mano en diferentes puntos a ambos lados de la columna, realizamos una vibración que debe nacer en nuestros hombros. Transmitiremos un ligero temblor agradable y que apenas provoca desplazamiento cutáneo.

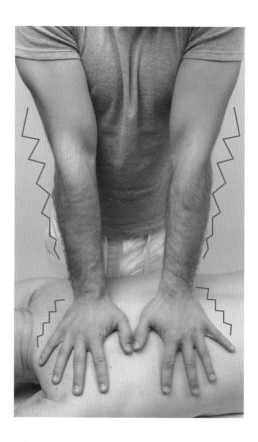

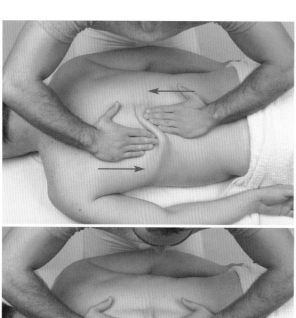

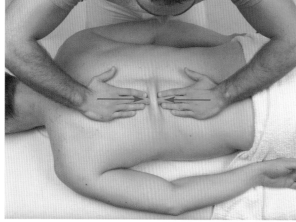

06. FRICCIÓN CON LA PALMA O «SACUDIDAS»

Nos encontramos a una lado de la camilla y realizamos pequeñas «sacudidas» haciendo temblar la palma de la mano colocada sobre los hombros. Nunca desplazaremos la mano sobre la piel, sino la piel sobre la musculatura que hay debajo. La sensación que percibiremos es como si tratásemos de limpiar una mesa con una hoja de papel lisa.

05. FRICCIÓN CON LA PALMA Y «CIZALLAMIENTO»

En la misma posición en la que nos encontramos y colocando ambas manos en el mismo lateral de la espalda, realizamos movimientos alternantes en direcciones opuestas hacia arriba y abajo, paralelamente a la columna y siempre sin tocarla. El movimiento quedará limitado por la elasticidad de la piel de la zona, antes de producir dolor, orientándonos por las arrugas producidas. Para trabajar el otro lado de la espalda, nos cambiaremos de lado de la camilla.

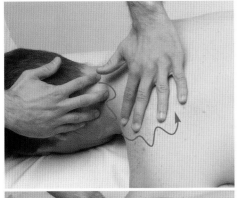

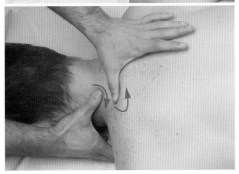

01. Amasamiento digital del cuello

Nuestra colocación será a la cabeza de la camilla. Mediante los cuatro dedos centrales estirados, haremos movimientos rotativos y alternantes. Comenzaremos por encima de la línea de nacimiento del pelo y descenderemos hasta cada uno de los hombros con la mano correspondiente.

A continuación realizaremos la misma técnica pero colocando ambas manos en el mismo lado del cuello y descenderemos primero a un hombro y luego al otro.

En esta zona no se realizará amasamiento nudillar, porque supondría mucha presión para la débil musculatura de la zona.

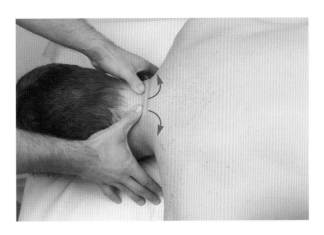

02. Amasamiento con pulgares

Colocados a la cabeza de la camilla, aplicaremos nuestros pulgares con pequeños movimientos circulares uno a cada lado de la columna. Descenderemos paralelos a ella desde el nacimiento del pelo hasta las primeras vértebras de la columna dorsal o media, que se encuentran aproximadamente en la línea imaginaria que une ambos hombros.

El paso siguiente consistirá en descender haciendo el mismo movimiento circular de pulgares pero de manera alternativa y sobre los músculos del mismo lado de la columna, primero uno y luego otro. En ambos ejercicios debemos ser precavidos porque nos encontramos cercanos a la columna vertebral.

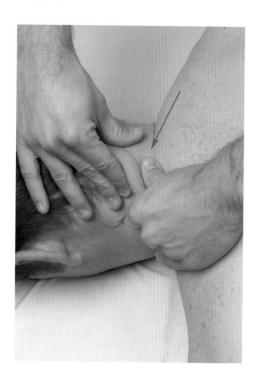

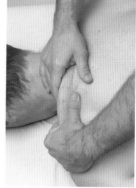
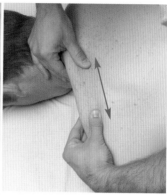

04. Pinza y estiramiento

Continuamos situándonos en el lateral de la camilla, tomamos entre nuestros dedos pulgar e índice de ambas manos la zona central del trapecio superior. Mantenemos una ligera presión durante cinco segundos para después ir deslizando nuestras manos en sentidos opuestos realizando un ligero estiramiento. En un primer momento solo cogeremos piel, para poco a poco ir haciendo una pinza más profunda y sintiendo que pellizcamos levemente un cordón muscular.

03. Amasamiento digito-palmar superficial de la zona alta del trapecio

Nuestra posición será de nuevo en el lateral de la camilla y trabajaremos desde la musculatura situada a los lados de la zona alta de la columna. Al ser de pequeño tamaño será difícil hacer un contacto completo con la palma. Empezaremos por encima de la línea de nacimiento del pelo e iremos descendiendo lateralmente hasta los hombros. Al principio no abarcaremos todo el músculo, sino que lo iremos cogiendo progresivamente en mayor medida según notemos que se relaja bajo nuestro dedos. Esto es importante, ya que el músculo no se encuentra nunca en un estado de reposo absoluto, sino que tiene una tensión de base. Si lo manipulamos brusca y repentinamente, provocaremos una contracción mayor, en vez de la relajación buscada. Sólo conseguiremos relajarlo si producimos sensaciones de bienestar que lleguen al sistema nervioso central, responsable del estado de esta tensión en reposo. Masajearemos el lado del cuello contrario al lateral de la camilla donde nos encontramos nosotros, por lo que una vez trabajado un lado, nos invertiremos de posición para cambiar al otro.

05. Percusión del trapecio con el cachete cubital

Se hace desde nuestra posición en el lateral de la camilla. En la zona con más musculatura entre el cuello y los hombros, podemos realizar ligeras percusiones sin riesgo por la cantidad de tejido blando y la inexistencia de hueso. Con la mano girada para apoyar el dedo meñique y todo el lateral sobre la piel, aplicamos ligeros golpecitos alternativos con cada brazo. Nuestros dedos y manos no tienen que estar tensos, ya que de esa manera provocaríamos golpes secos en vez de amortiguados. Debemos desplazar las manos por toda la musculatura, reduciendo la tensión acumulada en las diversas partes del trapecio.

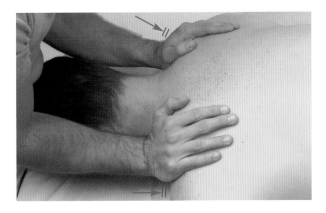

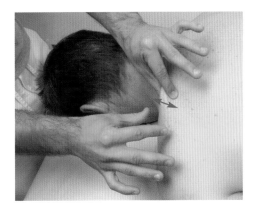

06. Presión del trapecio con las manos

Colocados a la cabeza del sujeto, apoyamos nuestros talones o bases de las manos uno en cada zona alta del trapecio y abrazaremos el resto de la musculatura con los dedos. Con nuestro propio peso mantendremos una presión suave pero constante, sintiendo cómo el cordón muscular se relaja bajo nuestras manos. Permaneceremos en esta posición durante un minuto y medio, por lo que debemos vigilar la posición de nuestra espalda para no sobrecargarla.

07. Picoteos

Desde la misma posición a la cabeza de la persona, aplicaremos pequeños pellizcos entre el dedo pulgar y el índice. Los realizaremos de forma rápida y desplazándonos constantemente por toda la superficie desde el cuello a los hombros. Ambas manos se aplicarán primero sobre un lado del cuerpo y luego sobre el otro lado, ya que la sensación será más placentera si los picoteos alternativos de ambas manos se hacen cercanos entre sí.

08. Tecleteos

Volvemos a situarnos en un lateral de la camilla y colocaremos nuestros dedos encima del trapecio superior. Los tecleteos se aplican de manera simultánea, con una mano situada a cada lado del cuello, ya que es más fácil coordinar así el movimiento de nuestros dedos. Las yemas de los dedos golpearán suave y ordenadamente desde el meñique al índice reiterativamente.

09. Vibración zona alta del trapecio

De nuevo nos situaremos a la cabeza de la camilla y apoyaremos toda la palma de nuestras manos cubriendo ambos hombros y realizando una suave presión con nuestro peso corporal. Cada diez segundos aproximadamente aplicaremos una vibración que produciremos desde nuestros hombros y que transmitiremos a la persona sin deslizar nuestras manos sobre su piel.

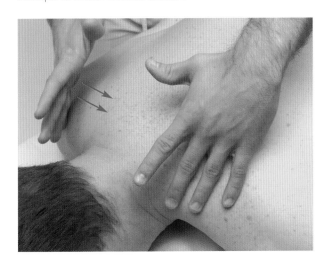

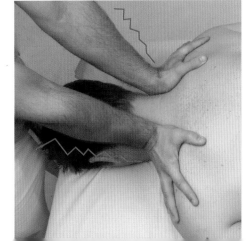

ZONA MEDIA

Comenzaremos haciendo varios vaciados venosos como preparación de la zona. Para esta zona estaremos siempre colocados en un lateral de la camilla, ya sea con el cuerpo girado hacia la cabeza de la persona o perpendicularmente a ella. Solamente nos colocaremos a la cabeza de la camilla si queremos realizar los toques que se describen a continuación en dirección desde la cabeza hacia abajo, procurando que sean las más superficiales.

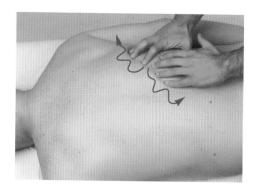

02. AMASAMIENTO DIGITAL DESDE DENTRO HACIA FUERA

Continuamos colocados lateralmente a la camilla, pero esta vez giraremos nuestro cuerpo para colocarnos mirando al otro lado, en vez de a la cabeza de la persona que está recibiendo el masaje. De esta manera podremos colocar nuestras manos perpendicularmente a la columna vertebral y en el lado contrario de la espalda. Aplicaremos el amasamiento digital desde la zona más próxima a la columna y siempre sin tocarla hasta el costado lateral, produciendo un suave estiramiento de la zona. Cuando finalizamos con un lado de la espalda, nos desplazaremos hasta la posición contraria en la camilla y masajearemos en otro lado en la dirección opuesta.

01. AMASAMIENTO DIGITAL DE ABAJO HACIA ARRIBA

Situándonos en un lateral de la camilla, realizaremos el amasamiento digital desde la zona donde comienza la curva de la espalda baja hasta la altura del inicio de las escápulas. Debemos cubrir desde la zona central (sin llegar a la columna vertebral) hasta ambos laterales, llegando al costado, para masajear completamente el músculo dorsal ancho. Aplicaremos ambas manos a la vez, colocándolas en cada lado de la espalda. Después realizaremos el movimiento alternativamente con ambas manos sobre un lado de la espalda y luego sobre el otro.

03. ROCE SUPERFICIAL CON LOS PUÑOS

Nos colocamos a la cabeza del sujeto y apoyamos nuestros puños cerrados por la zona de los dedos a cada lado de la columna. Suavemente hacemos un deslizamiento desde arriba hacia abajo, notando cómo se relajan los dos cordones musculares paralelos a la columna bajo nuestros dedos.

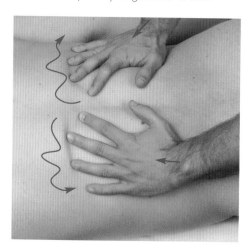

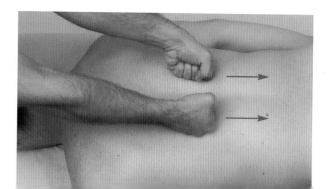

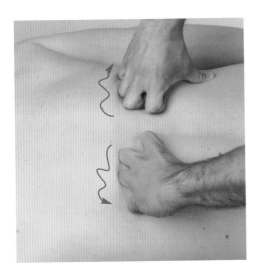

04. Amasamiento nudillar desde abajo hacia arriba

Giramos nuestra posición y dirigimos nuestro cuerpo hacia la cabeza de la camilla, situados a un lado de ésta. Cubriendo la misma zona donde hemos aplicado los anteriores pasajes e insistiendo en la zona lateral, aplicamos el amasamiento nudillar siempre suavemente, ya que en esta zona se encuentran las costillas muy cercanas a la piel. Comenzaremos colocando una mano en cada lado de la espalda y haciendo un movimiento simultáneo con ambas, para después cambiar las dos manos al mismo lado de la espalda y realizar su desplazamiento alternativamente por la piel (una vez finalizado, trabajando de igual manera el otro lado de la espalda).

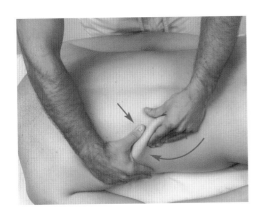

05. Amasamiento digitopalmar desde los laterales hacia el centro de la espalda

Volvemos a rotar nuestro cuerpo colocándonos perpendicularmente a la camilla desde uno de sus laterales. El tamaño de nuestra mano influirá en la cantidad de piel que podamos abarcar, pero al realizar el amasamiento digitopalmar debemos «recoger» los tejidos blandos del lateral de la zona y arrastrarlos hacia el centro, donde la otra mano los traccionará y estirará. Cambiaremos de lado de la camilla para masajear la otra zona de la espalda.

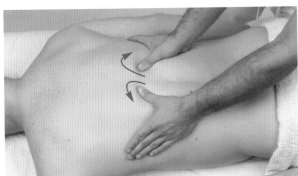
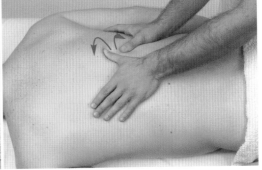

06. Amasamiento pulpo con pulgares

Mirando hacia la cabeza de la camilla desde un lateral, colocaremos nuestros pulgares cercanos a la columna, uno a cada lado. Con movimientos circulares suaves, iremos provocando suaves estiramientos de la musculatura y la piel desde abajo hacia arriba y con los pulgares de ambas manos al mismo tiempo. Seguidamente colocaremos ambos pulgares en el mismo lado de la columna y el movimiento pasará a ser alternativo.

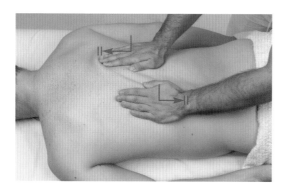

06. FRICCIONES ALTERNATIVAS DE LAS MANOS

Continuamos en la misma posición lateral de la camilla y apoyaremos una mano a cada lado de la columna, paralelamente a ella. A continuación y sin deslizar nuestras manos bajo la piel que tocamos, realizaremos movimientos opuestos hacia arriba y hacia abajo con cada mano. Alternaremos reiterativamente estos movimientos, pero siempre recordando que en la fricción es la piel de la persona la que se desliza por los tejidos que se encuentran debajo de ella. Conseguiremos un suave estiramiento y cizallamiento de la zona, que provocará una agradable sensación de bienestar, si realizamos el movimientos suave y lentamente.

07. PERCUSIONES CON CACHETE CUBITAL

Aplicaremos como siempre nuestro borde exterior de las manos en el lado contrario de la espalda donde nos situemos. Debemos actuar con precaución en esta zona, debido a la proximidad de la piel a las costillas que están desprovistas de fuerte protección muscular encima de ellas. Con los dedos relajados aplicaremos suaves pero rápidos golpecitos con la zona del meñique y lateral de la mano. Nunca percutiremos la columna vertebral, sino que dirigiremos los movimientos de abajo a arriba y viceversa, cubriendo toda la zona de la espalda y en especial la zona más lateral del costado. Al finalizar el trabajo de un hemilado de la espalda, nos cambiaremos de posición para continuar con el otro.

08. VIBRACIÓN EN LA ZONA MEDIA DE LA ESPALDA

Con una mano a cada lado de la columna, pondremos la palma abierta para abarcar la mayor área de piel posible. Colocándonos lateralmente a la camilla y provocando la tensión y vibración en nuestros hombros, transmitiremos la pequeña vibración a la piel de la persona. Esta técnica es muy fatigosa para quien la realiza, por lo que la aplicaremos en breves periodos de tiempo, intercalándola entre otros pasajes.

09. PRESIÓN CON LAS MANOS A CADA LADO DE LA COLUMNA

Para finalizar con esta zona, realizaremos un apoyo suave del peso de nuestro cuerpo, colocando las manos con las palmas abiertas a cada lado de la columna vertebral. Aguantaremos en esta posición durante aproximadamente un minuto, sin aumentar la presión, notando que la curva dorsal se relaja y cede suavemente bajo nuestras manos. Acompañaremos con nuestras manos el movimiento de la respiración, para no dificultar la expansión de la caja torácica.

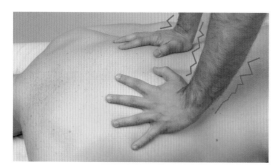

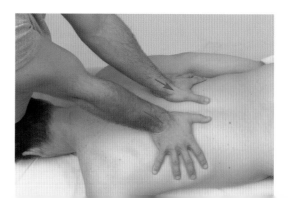

Al igual que en otras, preparamos la zona mediante una serie de vaciados. Recordamos que no hay que hacer fuertes presiones en esta zona hacia la camilla en cualquier técnica, ya que podríamos producir dolor al aumentar la curvatura lumbar. Siempre estaremos situados en un lateral de la camilla, ya sea mirando hacia la cabeza, hacia los pies o perpendicularmente a la persona que está recibiendo el masaje.

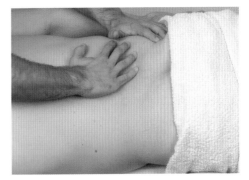

01. AMASAMIENTO DIGITAL EN DIRECCIONES PARALELAS Y PERPENDICULAR A LA COLUMNA

Realizamos los pasajes de la misma manera como se han descrito en la zona media de la espalda. Dirigimos el movimiento de los dedos desde abajo hacia arriba y desde la zona central cercana a la columna vertebral hacia cada lateral. Comenzaremos siempre realizando los movimientos de la manos simultáneamente colocando una en cada lado de la espalda y finalizaremos con movimientos alternativos con ambas juntas en el mismo hemicuerpo.

02. AMASAMIENTO DIGITAL EN DIRECCIÓN DESDE ARRIBA HACIA ABAJO

Colocados en un lateral de la camilla pero esta vez orientados hacia los pies de la persona, realizaremos los movimientos circulares de los dedos con el objetivo de estirar los tejidos blandos sobre todo en la zona más baja y en los glúteos. Cambiaremos de posición para trabajar el otro lado de la espalda y el otro glúteo una vez finalicemos.

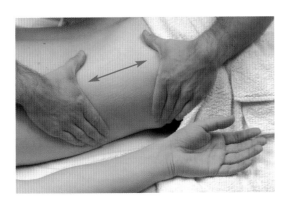

03. ESTIRAMIENTO Y TRACCIÓN DE LA MUSCULATURA LATERAL

Desde nuestra posición en el lateral de la camilla colocaremos nuestras manos juntas en el costado contrario. A continuación realizaremos un movimiento de estiramiento llevando las manos en direcciones contrarias, una hacia arriba y otra hacia abajo. Nos deslizaremos hasta la pelvis y las costillas, para después volver al centro y repetirlo varias veces. Después será el momento de cambiarnos de lado para trabajar el costado contrario.

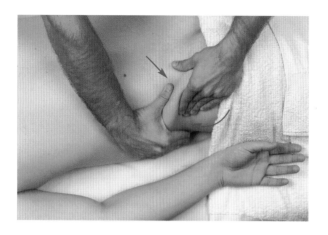

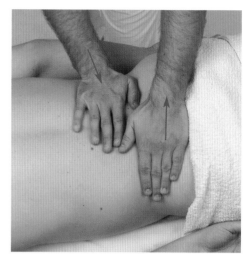

04. AMASAMIENTO DIGITOPALMAR DESDE LA ZONA LATERAL AL CENTRO
Nos situamos perpendicularmente a la camilla.
Abarcaremos los tejidos con una mano para traccionarlos,
comprimirlos y estirarlos entre las dos, siempre desde el
lateral hacia el centro de la espalda. El movimiento
alternativo de ambas manos en direcciones contrarias debe
cubrir toda la zona de arriba abajo y viceversa. La parte
alta del glúteo también debemos masajearla para conseguir
una buena relajación de la zona.

**05. ROCES SUAVES TRANSVERSALES Y ALTERNATIVOS
CON AMBAS MANOS**
Deslizaremos nuestras manos perpendicularmente
a la columna vertebral, incluso rozando
suavemente por encima de ella con movimientos
alternativos y opuestos. Cada mano trazará dos
líneas transversales paralelas.

06. ROCES SUAVES DESDE LA PELVIS HACIA ARRIBA
Rotaremos nuestro cuerpo para quedarnos
mirando hacia la cabeza de la persona,
situados lateralmente en la camilla. Una mano
se mantendrá fija en la zona de la pelvis y
glúteo. Con la otra mano realizaremos un roce
suave desde la zona baja donde tenemos
situada la otra mano hacia arriba, primero
paralelamente a la columna y luego cruzando a
la otra parte.

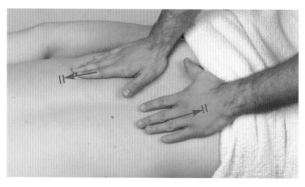

07. FRICCIONES SUAVES CON LA PALMA DE LA MANO
Colocando una mano en cada lado de la
espalda y fijándolas a la piel para que no se
desplacen por encima de ella, realizaremos
movimientos en sentidos contrarios, una mano
hacia arriba y la otra hacia abajo y a
continuación cambiaremos, estirando los
tejidos en el sentido contrario.

De nuevo cubriremos todas las zonas de la espalda con las siguientes técnicas.

01. Pinzado rodado

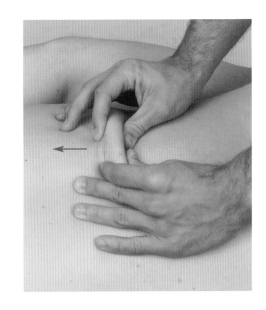

Nos situaremos a un lado de la camilla y tomaremos un «pellizco» de piel entre los dedos pulgares e índices de ambas manos. Comenzaremos desde la zona baja de la espalda e iremos deslizando ese «pellizco» de piel hasta el cuello. Empujaremos con nuestros pulgares la piel como si estuviésemos deslizando una ola por encima del mar, sin permitir que se estire y se pierda. Mediante los dedos índices situados delante vamos recogiendo la piel por la que pasará la «ola» al avanzar. Este masaje es muy útil para eliminar adherencias y puede resultar doloroso si hay muchas o si no hemos calentado los tejidos previamente con otras técnicas. Debemos, por tanto, ser precavidos en su uso y no abusar de este masaje si la persona no tolera el dolor porque eliminaríamos todo el efecto relajante, calmante y analgésico.

02. Roce en forma de cruz

Con las palmas abiertas y apoyadas en el centro de la espalda y nosotros situados lateralmente en la camilla, deslizamos nuestras manos en direcciones opuestas. La mano derecha ascenderá hacia el hombro derecho y la izquierda descenderá hacia el glúteo izquierdo, manteniéndose en esta posición para hacer un estiramiento total de la espalda en diagonal. A continuación cambiamos la posición de nuestras manos para realizar la diagonal corporal contraria.

03. Roce de antebrazos

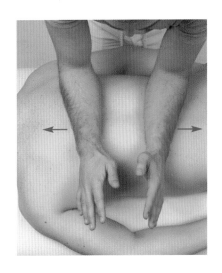

Flexionamos nuestro tronco hacia delante, a la vez que las rodillas para no sobrecargar nuestra espalda. Nos situaremos a un lado de la camilla y mirando hacia el otro lateral. Apoyaremos nuestros antebrazos juntos en el centro de la espalda, perpendicularmente a la columna vertebral. Mantendremos esta posición durante unos segundos haciendo una ligera presión con nuestro peso. A continuación deslizaremos los antebrazos en direcciones opuestas, uno hacia la cabeza (sin llegar al cuello) y otro hacia la pelvis, consiguiendo masajear y estirar la espalda globalmente. Para acabar iremos haciendo progresivamente menos presión en cada pasada, repitiendo los pasajes de toma de contacto en sentido inverso.

B. TUMBADO BOCA ARRIBA

Con el sujeto tumbado boca arriba nosotros nos situaremos en el lado de su cabeza.

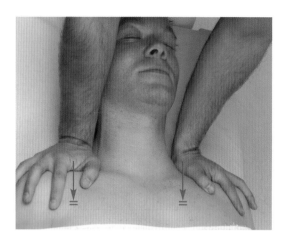

01. PRESIÓN CON LAS MANOS EN AMBOS HOMBROS

Apoyamos las palmas de las manos encima de los hombros, relajadas para no provocar dolor en los diferentes huesos que lo forman. Aplicaremos una presión en dirección a los pies de forma mantenida y constante durante un minuto. No debemos hacer fuerza con nuestros brazos, sino aprovechar el peso de nuestro cuerpo y adaptar la presión a la respiración de la persona.

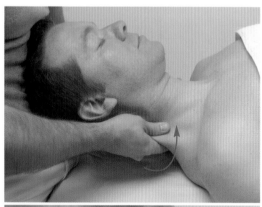

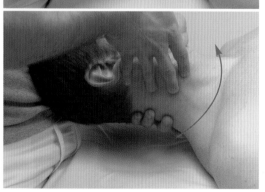

02. ROCES ALTERNATIVOS ACOMPAÑADOS DEL GIRO DE LA CABEZA

En la misma posición, pedimos a la persona que saque la cabeza fuera del área de la camilla, para poder apoyarla en nuestro abdomen suavemente y la relaje. Nuestras manos se deslizarán por la parte posterior del cuello alternativamente, haciendo roces transversales, incluso pudiendo producir un movimiento de rotación de la cabeza para comprobar que la persona está completamente relajada y confiando su cuerpo en nosotros. Ambas manos estarán siempre sujetando el cuello para dar más sensación de seguridad a la persona que recibe el masaje, y mientras una se mantiene fija la otra masajea desde la zona del hombro contrario hasta la línea de nacimiento del pelo.

03. Roce digital con los dedos medios hacia el cuero cabelludo

Tomamos el cuello con ambas manos quedando las palmas apoyadas sobre los laterales y los dedos más largos en la parte posterior. Una vez que tengamos bien sujeto el cuello, con todos los dedos largos a la vez realizaremos un «barrido» rozando desde la zona baja del cuello hasta más arriba del nacimiento del pelo, donde nos alcancen. Repetiremos el rozamiento varias veces siempre hacia arriba.

04. Apoyo mantenido en nuestros dedos

Con las palmas ahuecadas colocamos una mano encima de la otra y juntamos los dedos pulgares. El cuello descansará un minuto sobre nuestros nudillos de los pulgares. Finalizaremos el masaje pidiéndole a la persona que se relaje, que la cabeza le pese cada vez más sobre nuestras manos y nos confíe su cuerpo.

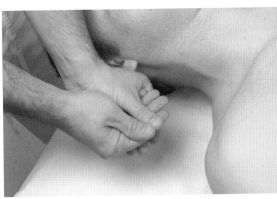
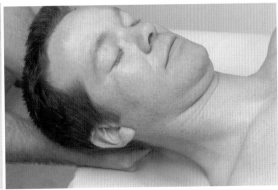

05. Estiramiento suave en flexión del cuello

Flexionaremos la cabeza de la persona hacia delante, casi hasta tocar el pecho con la barbilla. Sujetaremos su cabeza en esta posición con nuestro abdomen, sin presionar y al mismo tiempo apoyaremos nuestras manos en ambos hombros, para hacer una ligera fuerza hacia la camilla. Debemos respetar la comodidad de la persona, preguntándole su estado constantemente ya que esta posición puede resultar desagradable de mantener pues resulta difícil tragar saliva y respirar.

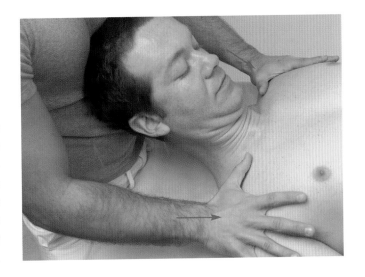

Masaje relajante para la espalda

06. Estiramiento suave lateral

Colocaremos ahora una mano en el hombro del mismo lado y con la otra mano desplazamos lateralmente la cabeza inclinándola hacia el hombro contrario. No debemos «agarrar» la cabeza con nuestra mano, sino sujetarla y empujarla suavemente con la palma abierta. Debemos provocar un suave estiramiento de la zona del trapecio superior durante un minuto, siempre presionando con la misma fuerza y nunca aumentando. El estiramiento es más efectivo cuando lo mantenemos más tiempo y no cuando hacemos más fuerza. A continuación cambiamos a la posición contraria.

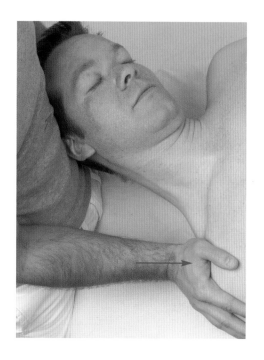

07. Estiramiento suave en rotación

Las manos toman la cabeza desde los laterales, abarcando las sienes y evitando colocarlas encima de las orejas porque esto provocaría una sensación muy desagradable. Rotaremos el cuello a un lado hasta notar que estamos tensando suavemente los músculos. Una vez mantenido durante un minuto, rotaremos la cabeza al lado contrario lentamente, para no provocar sensación de mareo.

Vuelta a la normalidad

Cuando estamos tumbados durante un largo tiempo, como cuando dormimos o en el caso del masaje, nuestro organismo se adapta a esta situación. La presión sanguínea varía dependiendo de nuestra posición y durante un masaje puede descender aún más. Cuando hayamos finalizado el masaje, avisaremos a la persona para que se incorpore a la posición de sentado y después de pie muy lentamente, tomándose el tiempo que necesite. Así evitaremos los frecuentes mareos que sufren muchas personas al incorporarse rápidamente, también al levantarse de la cama, debido a que no dan tiempo suficiente al organismo para adaptar la presión sanguínea a la nueva posición.

EL MASAJE EN SILLA

El masaje en silla es una variante del masaje relajante de espalda. Es de gran utilidad en personas mayores, con problemas respiratorios o mujeres embarazadas a las que no podemos colocar en posición boca abajo o prona.

Existen en el mercado diversas sillas adaptadas para este tipo de función, con apoyos para la cabeza, los brazos y las rodillas. Sin embargo, podemos crear en nuestra propia casa un ambiente bastante adecuado: colocaremos a la persona sentada a horcajadas (con una pierna a cada lado del asiento) en una silla sin respaldo o con respaldo bajo colocada del revés. La silla la situaremos cercana a una mesa un poco más baja de lo habitual, donde colocaremos cojines hasta llegar a la altura adecuada para que la persona pueda apoyar los codos y la frente colocando la espalda recta. De esta manera, obtendremos la postura ideal para que la espalda descanse en posición de sentado para poder aplicar el masaje.

La principal dificultad que supone el masaje de espalda en silla es la realización de los toques en la zona baja de la espalda y los estiramientos.

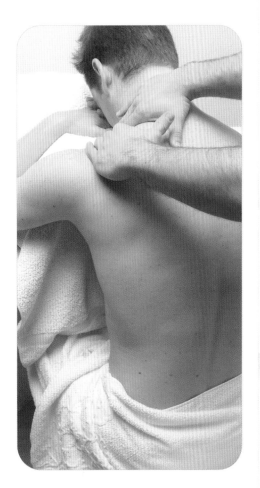

04 MASAJE RELAJANTE PARA PECHO Y ABDOMEN

PODEMOS DECIR QUE LA ZONA DEL PECHO O TÓRAX ANTERIOR SE COMPONE DE LA CAJA TORÁCICA, FORMADA POR LAS COSTILLAS Y EL ESTERNÓN. SU FUNCIÓN ES PROTEGER LOS ÓRGANOS VITALES COMO SON EL CORAZÓN Y LOS PULMONES. LA ZONA ABDOMINAL YA NO ESTÁ PROTEGIDA POR ESTE ENTRAMADO ÓSEO, SINO QUE SON LOS POTENTES MÚSCULOS ABDOMINALES LOS QUE AÍSLAN LAS VÍSCERAS DEL EXTERIOR. EN ESTE TIPO DE MASAJES ES FUNDAMENTAL NO REALIZAR FUERTES PRESIONES Y TENER EN CUENTA DIFERENTES REGLAS EN LO QUE SE REFIERE A LAS DIRECCIONES DE LAS TÉCNICAS.

DIRECCIONES DEL MASAJE

El masaje relajante del pecho y del abdomen, por sus características propias, tiene diferentes reglas en lo que se refiere a las direcciones de las técnicas. Lo ideal es dirigir siempre la sangre venosa hacia su retorno al corazón, por lo que en la zona derecha del pecho debemos masajear hacia el lado izquierdo. En los pasajes más superficiales podremos dirigir nuestras manos indistintamente hacia la derecha o izquierda, hacia arriba o hacia abajo independientemente del hemicuerpo que estemos masajeando.

En la zona abdominal, sólo debemos evitar hacer el movimiento en contra del sentido del reloj, ya que estaríamos impidiendo el correcto tránsito intestinal. Por ello, lo más indicado es hacer los deslizamientos hacia arriba o abajo, desde la derecha hacia la izquierda y círculos con el sentido de las agujas del reloj.

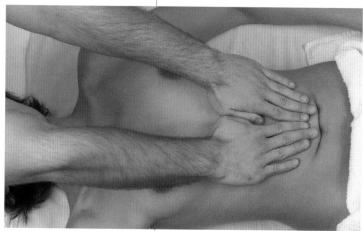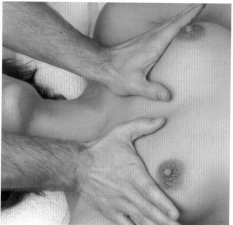

En la zona abdominal se deben evitar los movimientos en contra de las agujas del reloj ya que impiden el correcto tránsito intestinal.

ZONAS QUE DEBEMOS EVITAR Y PRECAUCIONES

De manera esquemática podemos decir que la zona del pecho o tórax anterior está formada por la caja torácica, formada por las costillas y el esternón. Su función es proteger los órganos vitales como son el corazón y los pulmones. La zona abdominal ya no está protegida por este entramado óseo, sino que son los potentes músculos abdominales los que aíslan las vísceras del exterior.

Como podemos deducir por el gran contenido visceral de estas zonas, es fundamental no realizar fuertes presiones durante las técnicas del masaje, siendo una aplicación más superficial, pues en planos más profundos no encontramos musculatura estriada que relajar.

Existe un punto de gran unión entre el medio externo y el interno en esta zona: el ombligo. El ombligo es el resultado de la sutura natural del cordón umbilical cuando es seccionado para separarnos definitivamente de nuestra madre durante el parto. Esta piel superficial está unida a planos más profundos, y por tanto no debe ser manipulada ni masajeada en ningún caso. Sin embargo, es fundamental tener una correcta higiene de la zona, por lo que se puede aplicar un suave barrido digital con agua para eliminar los posibles restos que se acumulan en su interior.

No existen más puntos contraindicados que no debamos manipular, sino más bien la precaución general antes descrita en toda la zona. Debido a esto, lo que no estaría indicado en el pecho y abdomen son los pasajes de percusión, por la proximidad de huesos y vísceras que se pueden ver golpeados, así como su ineficacia a la hora de relajar la musculatura si provocan molestias.

Existen situaciones especiales en las que el masaje tampoco está indicado con especial relevancia en la zona delantera del tronco, como es el caso de las personas con problemas cardíacos y además en esta zona es preferible no manipular a mujeres embarazadas o personas con problemas digestivos severos y de los cuales desconocemos su evolución.

Tampoco debemos realizar un masaje en la zona del abdomen mientras estamos realizando la digestión, especialmente después de comidas copiosas. Deberemos dejar pasar al menos dos horas desde la última ingesta.

Por otra parte, existen más factores a tener en cuenta en el masaje relajante de pecho y abdomen. Desnudarse delante de otra persona no es igual de fácil para todo el mundo. Existen muchos componentes sociales y educacionales que influyen en la percepción más o menos natural del desnudo. El pecho desnudo es una zona que, tradicionalmente en las mujeres, provoca de manera habitual una sensación de pérdida de intimidad y vergüenza, y en mayor medida si va a ser tocado. Debemos tener en cuenta todos estos factores psicológicos para modificar nuestro trato con la persona, ya que pueden ser determinantes para que consiga o no la relajación. En ningún caso debemos forzar a la persona a desnudarse completamente si no lo desea y el contacto con estas zonas se hará progresivamente. También se disminuirá poco a poco el número de prendas o toallas que cubran la zona, según lo tolere. Si la persona se encuentra tensa o incómoda, jamás alcanzará la relajación adecuada por muy buena técnica de masaje que tengamos.

LA COLOCACIÓN ADECUADA

Es fácil intuir que la manera más adecuada de aplicar un masaje en las zonas abdominal y pectoral es con la persona tumbada boca arriba, ya que de esta manera toda la zona estará distendida, relajada y expuesta a nuestras manos. Los brazos quedarán relajados a lo largo del cuerpo.

Sin embargo nuestra posición variará constantemente en función de las técnicas y la zona donde las vayamos a aplicar. La mayor parte del tiempo nos situaremos a la cabeza del sujeto para el masaje del pecho y en un lateral de la camilla para la zona del abdomen.

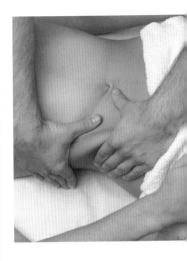

Los masajes en la zona delantera del tronco no son adecuados para personas con problemas cardiacos o digestivos severos y mujeres embarazadas.

A. MASAJE RELAJANTE DE PECHO Y ABDOMEN

La situación ideal será tener a la persona con el pecho y el abdomen completamente al descubierto, hasta la línea del pubis. Comenzaremos esta rutina de masaje relajante de manera global y situándonos a la cabeza de la camilla. En segundo lugar nos centraremos en el pecho y finalizaremos con el abdomen. El sujeto estará tumbado boca arriba durante todo el masaje.

Debemos diferenciar el masaje del pecho masculino del femenino. En el caso de los hombres podemos aplicar los pasajes por toda la zona del pecho, ya que no diferenciamos entre el músculo pectoral mayor y la mama. En el caso de las mujeres, sí hay que tener en cuenta las diferencias, ya que el músculo pectoral es un tejido blando contráctil muy potente y que reacciona al masaje como el resto de la musculatura. Sin embargo, en las mujeres el músculo pectoral está cubierto en su parte inferior por otro tejido blando sin capacidad para contraerse, adiposo y que contiene la glándula mamaria.

Es importante palpar y diferenciar ambas partes, ya que las técnicas de mayor presión solamente se aplicarán sobre el músculo pectoral y la mama sólo se masajeará con rozamientos.

En la zona del abdomen se encuentra el plexo solar, que según las teorías energéticas es uno de los centros más importantes. A través de su estimulación podemos eliminar los bloqueos energéticos que provocan el estrés y las tensiones.

01. PRESIÓN MANTENIDA EN LA ZONA CLAVICULAR

Comenzamos el masaje mediante presiones para preparar el cuerpo para el contacto. Desde la cabecera de la camilla, apoyaremos suave pero firmemente nuestras manos relajadas con las palmas abiertas, colocando el talón en los hombros y el resto de la mano y los dedos en la zona de las clavículas. Mantendremos el apoyo medio minuto, imprimiendo una pequeña presión creciente para estirar los hombros y las clavículas hacia abajo.

02. Presión mantenida en el pecho

Frotaremos nuestras manos fuertemente una contra la otra para aumentar la temperatura de la piel y avanzaremos un poco hasta situar los talones de ambas manos en la zona alta del pecho, mientras que los dedos se extienden hacia la mama. En esta posición no ejercemos presión, porque trabajamos la relajación a través de la sensación de calor y tacto mantenido en esta zona.

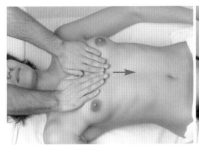

03. Presión mantenida en el abdomen con pequeñas fricciones circulares

A continuación descenderemos hasta el abdomen, apoyando las manos a ambos lados de la línea alba. Previamente habremos frotado las manos para producir calor y también provocamos movimientos circulares con las manos para aumentar la sensación de bienestar. Estos círculos son fricciones, es decir, sin desplazar la mano por la piel, sino moviendo toda la piel junto a la palma por encima de las vísceras y músculos de debajo.

04. Roce superficial desde el cuello hasta el pubis

Mantenemos nuestra posición a la cabeza de la persona. Colocaremos ambas manos a cada lado del cuello de la persona sin presionar y comenzaremos a deslizar las palmas por la piel, con los dedos largos por delante. Nos desplazaremos con ambas manos a la vez por la zona más central de las clavículas, por el músculo pectoral mayor, cerca del esternón y por la línea alba hasta llegar al pubis. Una vez que hemos hecho el recorrido hasta abajo, ascenderemos con las manos en la posición contraria y más hacia los laterales. Nos deslizaremos por los laterales del abdomen, por las costillas, por los laterales de las mamas y por los hombros hasta llegar de nuevo al cuello, con ambas manos simultáneamente. Repetiremos varias veces este movimiento cíclico, pudiendo invertir el sentido, es decir, descendiendo las manos por los laterales y ascendiendo por el centro del pecho y del abdomen hasta el cuello.

 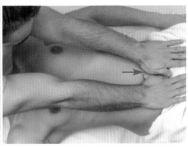

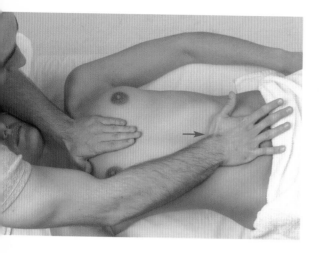

05. Roce con tracción en esternón y línea alba

Nos encontramos colocados a la cabecera de la camilla. Una mano se apoyará en la zona alta del esternón, en el centro del pecho, y se mantendrá allí fija durante toda la técnica. Con la otra mano realizaremos un movimiento de roce desde la mano fija hasta el pubis, a través de la línea alba. Los tejidos estarán sometidos a un estiramiento y tracción verticales, ya que la mano colocada en el esternón evitará que la piel descienda, provocando dos fuerzas en sentidos opuestos. Repetiremos varias veces el masaje, para a continuación cambiar la posición de las manos y hacer el deslizamiento con la mano que antes estaba fija.

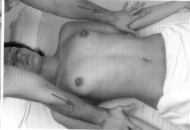

06. Roce superficial desde las clavículas hasta las palmas de las manos

Los talones de las manos descansarán sobre las clavículas sin ejercer presión, abarcando con los dedos largos el pectoral mayor, según su tamaño. Rozando la piel suave y lateralmente, comenzarán a separarse en direcciones opuestas pasando por encima de los hombros y toda la cara delantera de los brazos hasta llegar a las manos, colocadas palma arriba, abriéndolas contra la camilla.

07. Presión costal acompañando la espiración

Nuestra situación será en un lateral de la camilla, girando el tronco hacia la cabecera de la camilla y con las manos abiertas situadas en los laterales de la parrilla costal del tórax. Permaneceremos unos segundos sin presionar, dejándonos llevar por el movimiento de las costillas, según el ritmo de la respiración de la persona. Cuando hayamos entendido la frecuencia respiratoria relajaremos nuestras manos durante la inspiración. Por el contrario, realizaremos una presión firme cuando la persona expulsa el aire en la fase de espiración, hacia el centro, como si quisiésemos unir ambos laterales. Así ayudaremos a expulsar todo el contenido aéreo de los pulmones, estimulando una respiración más profunda y relajante.

08. Roce de vaciado del pecho

Nos situaremos a la cabeza de la persona que está recibiendo el masaje y nuestras manos se encontrarán juntas palma con palma y tan solo apoyaremos sus bordes por el lateral del dedo meñique en el esternón. Lentamente iremos separando las manos, según las deslizamos hacia los laterales, haciendo un rozamiento paralelo a las fibras musculares del pectoral mayor. Nos imaginaremos que queremos desplazar toda la sangre que contiene hacia los brazos.

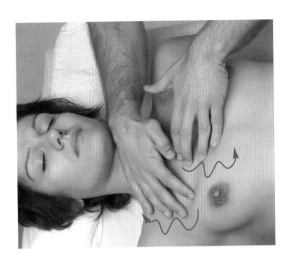

09. Amasamiento digital del músculo pectoral mayor

Los movimientos circulares con los dedos largos se harán siguiendo la dirección de las fibras musculares, por lo que nos tendremos que situar en el lado contrario de la camilla al del pectoral que masajeamos. Comenzaremos apoyando nuestros dedos alineados en el esternón, donde se origina este músculo e iremos avanzando en dirección hacia el brazo. En caso de masajear un pecho femenino, solo amasaremos la parte superior de la mama.

10. Presión en la zona baja del pecho

Nos colocaremos en la cabecera de la camilla. Frotaremos una mano con la otra para aumentar la temperatura de la palma y acunaremos un pecho con cada una de ellas por la parte baja. Aplicaremos una ligera presión hacia arriba, descargando el pectoral del peso de la mama y provocando una agradable sensación de relajación gracias al calor que transmitimos a la zona.

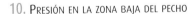

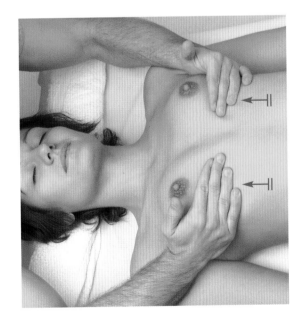

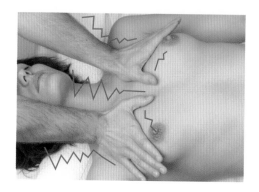

11. Vibraciones con apoyo de palmas en zona superior del pecho

Desde la misma posición a la cabeza de la camilla, apoyaremos nuestras palmas abiertas y relajadas en la zona alta del pectoral, sin apoyar los dedos largos en la mama. Con los codos estirados, transmitiremos una vibración suave provocada con nuestros hombros a toda la zona. No habrá desplazamiento entre la piel de nuestras manos y la piel de la persona que recibe el temblor.

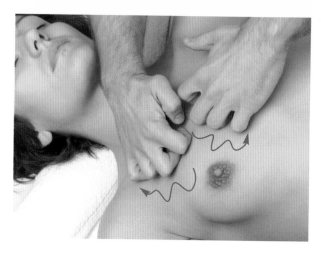

12. Amasamiento nudillar del músculo pectoral mayor

Al igual que el amasamiento digital, nos situaremos en el lado contrario de la camilla al pectoral que masajeemos cada vez, para poder hacer los movimientos paralelos a las fibras del músculo. De igual manera comenzaremos desde el centro del pecho hacia el lateral, pero esta vez evitando por completo el amasamiento de la mama, ya que al realizar los movimientos circulares con los nudillos de los dedos flexionados, aplicamos mayor presión que puede resultar desagradable.

13. Rozamiento circular de la mama

De nuevo situados en la parte alta de la camilla, tomaremos el pecho de la persona desde la parte baja, acunado en nuestras palmas. Desde abajo nos deslizaremos con un relajante rozamiento hacia los laterales y arriba, rodeando por completo el pecho y elevándolo gracias a la tracción de la piel hacia los hombros. Repetiremos el desplazamiento de las manos múltiples veces, pero siempre en este sentido y nunca hacia abajo.

14. Amasamiento pulpopulgar del músculo pectoral mayor

Los movimiento circulares con los pulgares se podrán realizar en dirección hacia arriba o hacia los laterales. Nos desplazaremos solamente por la parte alta del pectoral, sin amasar la mama, realizando círculos con ambos pulgares primero al mismo tiempo y luego alternativamente en dos tiempos. El mejor lugar para situarnos sin forzar la espalda será en un lateral de la camilla con el tronco girado hacia la cabeza de la persona.

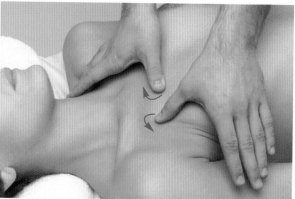

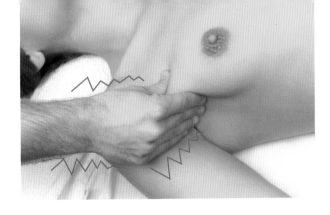

15. Vibraciones con pinza en la zona de inserción del pectoral mayor

Tomaremos la zona del pectoral mayor más cercana al brazo haciendo una pinza con nuestro dedo pulgar enfrentado al resto de los dedos. Aplicaremos pequeñas sacudidas con nuestro brazo para transmitir un temblor a toda la musculatura.

16. Amasamiento digitopalmar del pectoral mayor

La zona más adecuada para realizar este amasamiento en el músculo pectoral mayor es en su zona de inserción, cercana al brazo. No abarcaremos la mama con nuestras manos, por lo que debido al pequeño tamaño de la zona respecto al de las manos, no podremos usar toda la palma como en otras regiones. Aplicaremos prácticamente la superficie de nuestros dedos largos para acunar y arrastrar la musculatura mientras que el dedo pulgar de la mano contraria la comprime en dirección contraria. Repetiremos el movimiento de las manos alternativamente para eliminar las grandes tensiones que soporta esta zona.

17. Estiramiento suave del músculo pectoral mayor

Desde el mismo lateral de la camilla del músculo que vamos a estirar, tomaremos el brazo con ambas manos. Lo separaremos del cuerpo 90°, como si pusiésemos los brazos en cruz y mantendremos esta posición durante un minuto. Para aumentar la sensación de estiramiento, podemos realizar a la vez un masaje de roce por el pectoral mayor desde el brazo hacia el esternón. Los estiramientos son fundamentales para conseguir la relajación de la musculatura.

18. Fricción circular con las palmas

El objetivo de este pasaje es relajar los músculos que se originan en las costillas debajo del pectoral. Para ello, desde nuestra colocación en la parte alta de la camilla, apoyaremos nuestras palmas con las manos abiertas en la parrilla costal, justo por debajo y a los laterales de la mama. Presionaremos suavemente durante algunos segundos para a continuación comenzar a realizar movimientos circulares con toda la mano sin dejar de presionar. Nunca deslizaremos la mano por la piel de la persona, sino que desplazaremos la piel describiendo movimientos circulares, por encima de las costillas y sus músculos. La dirección será primero en el sentido de las agujas del reloj durante varias repeticiones y luego en el sentido contrario.

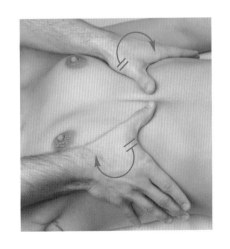

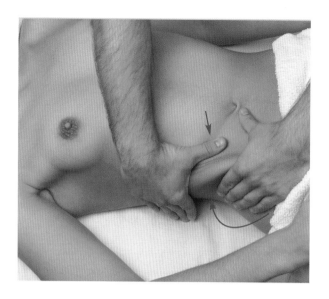

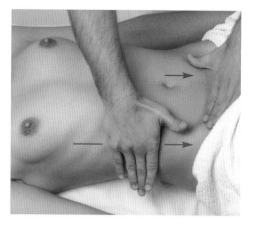

20. Rozamiento hacia el pubis alternativo con ambas manos

Colocados en un lateral de la camilla y con el tronco rotado hacia la cabeza de la persona, apoyamos una de nuestras manos en la zona alta del abdomen, justo por debajo del esternón. Desde esta posición aplicamos un movimiento de roce suave por la línea alba hasta el pubis. Una vez que hemos llegado a la zona más baja del abdomen apoyamos la otra mano en la zona baja de las costillas, pero más lateralizada. Con ella trazaremos otra línea vertical hasta la línea del pubis, paralela a la anterior. De manera cíclica cuando una mano llega a la parte baja del abdomen, la otra ya está apoyada en la zona alta, pero cada vez más desplazada, para abarcar toda la superficie de piel por ambos laterales.

19. Amasamiento digitopalmar de los músculos oblicuos

Nos colocaremos a un lado de la camilla, pero esta vez en el lado contrario del abdomen que vamos a amasar y con el tronco girado perpendicularmente a la persona.
Colocaremos ambas manos en la zona lateral del abdomen, en un costado y con los dedos transversales. Aplicaremos un movimiento alternativo de las manos en el que una mano abarca con la palma toda la musculatura posible desplazándola hacia nosotros. El pulgar de la otra mano impedirá este desplazamiento aplicando una fuerza en sentido contrario consiguiendo la compresión y cizallamiento de la musculatura. A continuación las manos invertirán sus funciones repetidamente, consiguiendo eliminar la tensión acumulada en la zona. Debemos masajear todo el borde lateral del abdomen, desde la zona baja en la pelvis hasta la zona alta que se inserta en las costillas.

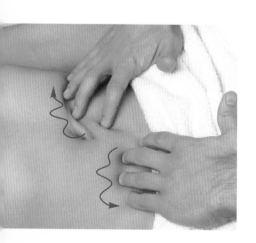

21. Amasamiento digital del recto abdominal

Nuestra posición en el lateral de la camilla es ahora más baja, hacia los pies. Comenzaremos apoyando nuestras manos en la zona baja del abdomen, en la línea del pubis. Aplicaremos movimientos circulares con las puntas de nuestros dedos largos, situando una mano a cada lado de la línea alba central. Ascenderemos desde el pubis hasta la parte baja de las costillas, realizando los círculos en direcciones opuestas con cada mano. Comenzaremos con los movimientos de los dedos al mismo tiempo y luego de manera alternativa con cada mano, estirando unos cuando los otros se flexionan.

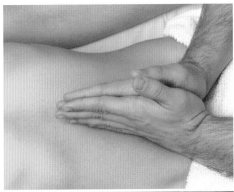

23. Rozamiento circular del abdomen

Comenzaremos trazando un pequeño círculo alrededor del ombligo con las yemas de los dedos largos de una mano. Una vez finalizado, la mano contraria recorrerá el mismo camino descrito por los dedos de la anterior. De esta manera, con ambas manos alternativamente iremos dibujando movimientos circulares cada vez más amplios y llegando a apoyar toda la palma de la mano para realizar el roce por la piel. Debemos recordar que los círculos siempre se trazarán en el sentido de las agujas del reloj, ascendiendo por la parte izquierda del abdomen y descendiendo por la parte derecha. Nos situaremos en un lateral de la camilla para realizar este toque de masaje.

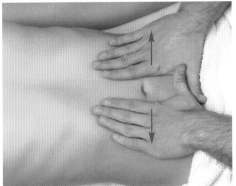

22. Roce de vaciado del abdomen

Apoyaremos nuestras manos, unidas por las palmas, en la línea alba del abdomen. Solamente comenzaremos apoyando los bordes de los laterales del dedo meñique, para después ir deslizándonos mientras separamos las manos en direcciones opuestas. Aplicaremos un rozamiento de las manos como si quisiéramos desplazar la sangre contenida en las paredes del abdomen hacia los laterales. La ubicación del masajista será a un lateral de la camilla.

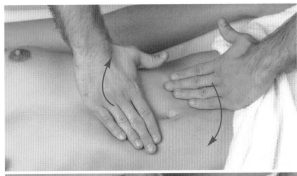

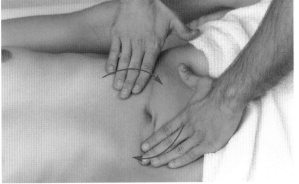

Vuelta a la normalidad

· Recordaremos a la persona que se debe incorporar lentamente, primero sentándose y luego poniéndose de pie, dejando tiempo para que el organismo se adapte a la nueva situación, después de encontrarse durante tanto tiempo tumbado y relajado.

· Se evitarán ejercicios abdominales y pectorales inmediatamente después de la aplicación del masaje, así como la ingesta copiosa de alimentos.

05 MASAJE RELAJANTE PARA LOS BRAZOS

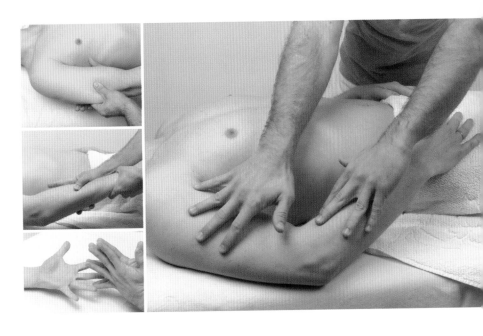

LOS MASAJES RELAJANTES EN LOS BRAZOS INCIDIRÁN EN TRES ZONAS: BRAZO, ANTEBRAZO Y MANO. LA DIRECCIÓN PRINCIPAL DE NUESTROS PASAJES SERÁ HACIA ARRIBA, ES DECIR EN DIRECCIÓN LONGITUDINAL DESDE LA MANO HACIA EL HOMBRO. Y PARA ACCEDER A TODAS LAS ZONAS DEL BRAZO, LAS POSICIONES MÁS ADECUADAS SERÁN SENTADO O TUMBADO BOCA ARRIBA.

El brazo se divide en todo tipo de masaje en tres zonas: brazo, antebrazo y mano.

El brazo, cuyo hueso es el húmero, se extiende desde el hombro al codo. Los músculos superficiales más importantes que incluye son el bíceps en la parte de delante y el tríceps en la parte posterior.

El antebrazo abarca desde el codo a la muñeca y lo forman dos huesos: el cúbito y el radio. Estos huesos están protegidos por los músculos flexores y extensores de la muñeca y dedos, pronadores y supinadores.

Por último, la mano está compuesta de los huesos del carpo, metacarpianos y falanges en los dedos. En las manos se encuentran los tendones de los flexores y los extensores de los dedos, sus abductores (separan los dedos) y aductores (juntan los dedos).

La mano es la zona con mayor sensibilidad, ya que es la encargada de manipular todo lo que nos rodea para dar información al cerebro. El número de terminaciones nerviosas que contiene es muy alto y por eso es una de las partes del cuerpo donde más placentero es recibir un masaje.

No podemos considerar el brazo como un elemento aislado del tronco, ya que el hombro es el encargado de relacionarlos. En el hombro encontramos músculos importantes como el deltoides (que le da la forma redondeada) y el trapecio. Es importante tener en cuenta estos músculos en el masaje de brazo, porque si no los masajeamos junto al resto de la musculatura del brazo, obtendremos menores efectos relajantes.

DIRECCIONES DEL MASAJE

La dirección principal de nuestros pasajes será hacia arriba, es decir, en dirección longitudinal desde la mano hacia el hombro. Sin embargo también realizaremos técnicas poco profundas en sentido inverso, es decir en dirección hacia la mano e incluso de manera transversal o circular.

ZONAS QUE DEBEMOS EVITAR

Por el brazo discurren grandes vasos sanguíneos, linfáticos y nervios que provienen del tronco y se encargan de canalizar las sustancias necesarias hasta cada uno de los dedos. Estas estructuras son más superficiales en la parte delantera del codo y en la axila, donde no tienen protección por parte de ningún músculo, y por lo tanto son zonas muy vulnerables y no debemos masajear por encima de ellas. Siempre que nuestras manos lleguen a ellas, las rodearemos para que puedan continuar su camino, o rozaremos levemente por encima de ellas con un pasaje sedante magnético.

En los masajes del brazo modificaremos constantemente nuestra posición. Para los pasajes que requieren una flexión excesiva podemos utilizar una silla.

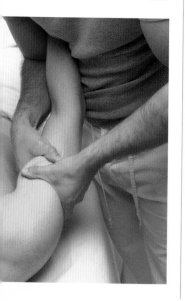

COLOCACIÓN ADECUADA

Para acceder a todas las zonas del brazo, las posiciones más adecuadas serán sentado o tumbado boca arriba, frente a nosotros y con el brazo apoyado en una superficie para masajear la parte anterior del brazo. Al principio es difícil acceder con soltura para hacer correctamente las técnicas en la parte posterior del brazo desde esta posición, por lo que podemos pedir a la persona que se tumbe boca abajo con los brazos a lo largo del cuerpo.

En ocasiones debemos apoyar el brazo de la persona en nuestro regazo o entre nuestros brazos para realizar determinadas técnicas. Lo que sí es importante es que el masaje se realizará por completo primero en un brazo y luego en el otro, nunca alternando los pases para no realizar interrupciones.

PRECAUCIONES

Si optamos por colocar al sujeto boca abajo para masajear la parte posterior del brazo, debemos siempre tomar precauciones sobre los problemas que puede suponer esta postura para algunas personas. Evitar colocar en esta posición a ancianos, personas con problemas respiratorios y mujeres embarazadas. Además debemos conocer las posibles enfermedades y problemas que afecten a la persona y que nos puedan influir para no aplicarle el masaje.

MASAJE RELAJANTE PARA LOS BRAZOS

Comenzaremos el masaje con la persona tumbada boca arriba en la camilla con el brazo relajado en el lateral a lo largo del cuerpo. Si no disponemos de mesa o camilla, podemos sentarle correctamente en una silla cómoda, con la espalda bien ajustada al respaldo y ambos pies apoyados en el suelo. El brazo se colocará en una superficie almohadillada o entre nuestros brazos, evitando que sea una altura excesiva, quedando relajado y suspendido a unos 45º por delante del cuerpo. Tampoco debe estar muy por debajo, ya que nos obligaría a forzar nuestra espalda en posiciones inadecuadas.

La persona que realizará el masaje modificará constantemente su posición, situándose lateralmente al brazo, soltándolo y cogiéndolo suavemente dependiendo de los toques. Podemos también disponer de una silla para nosotros, para las posiciones en las que debemos flexionar en exceso nuestro cuerpo.

Una vez finalizados los pasajes en esta posición, pediremos a la persona que se tumbe boca abajo para masajear la parte posterior del brazo.

El masaje relajante de la mano se puede aplicar perfectamente sentándonos en dos sillas colocadas de frente, ya que no es necesario que la persona que aplica el masaje se desplace debido a que es una pequeña superficie.

El masaje se realizará por completo primero en un brazo y luego en el otro. No se alterarán los pasajes de uno a otro para no realizar interrupciones.

A. TUMBADO BOCA ARRIBA

TOMA DE CONTACTO

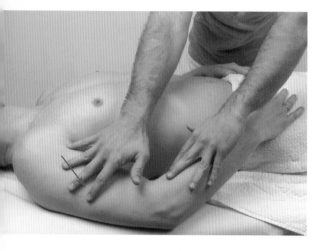

01. PASAJES SEDANTES MAGNÉTICOS

Comenzamos rozando levemente con las puntas de los dedos desde el hombro hasta la mano, cubriendo el brazo por delante y por detrás. Recorreremos hasta las propias puntas de los dedos de la persona que recibe el masaje, provocando así una potente sensación placentera que erizará el vello.

03. ROCE PROFUNDO GLOBAL

Esta técnica será la contraria a la anterior, ya que al aplicar mayor presión, es más adecuado realizarla en dirección hacia el corazón. Una mano agarrará la muñeca de la persona, fijándola suavemente y realizando una ligera fuerza de tracción hacia abajo para que no se doble el brazo. Con la otra mano abarcaremos toda la circunferencia del antebrazo con una suave toma en brazalete y la deslizaremos desde la muñeca hasta el hombro (ascendiendo incluso por encima del hombro y trapecio para alcanzar una mayor sensación de bienestar y relajación). La mano es ahora menos flexible y aplicamos con ella más presión sobre los tejidos blandos de todo el brazo, siempre sin provocar dolor y reduciendo la presión en las zonas delicadas. Cuando hemos recorrido un hemilado del brazo, cambiaremos la posición de nuestras manos. Ahora fijaremos el brazo desde la muñeca con la mano contraria y será la que antes estaba fija la que realice el masaje en la otra cara del brazo.

02. ROCE SUPERFICIAL GLOBAL

Abarcaremos con nuestra mano suavemente la circunferencia del hombro, presionando suavemente durante unos segundos. A continuación nos deslizaremos en dirección desde el hombro hacia la mano, adaptando la palma ahuecada a cada superficie. La primera mano abarcará un hemilateral del brazo y la mano contraria el otro (sin llegar a la axila), realizando sus movimientos alternativamente. Descenderemos lentamente, como si quisiésemos vaciar la sangre del brazo, acabando con el roce de los dedos.

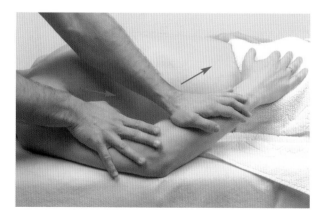

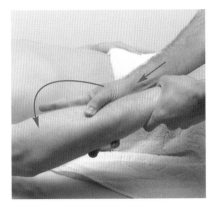

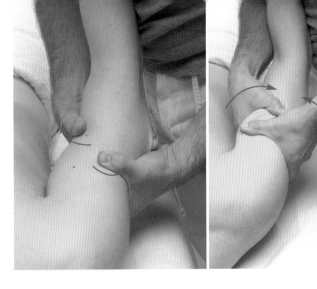

04. ROCES CIRCULARES CON UNA MANO

Una mano permanecerá de nuevo quieta y ayudando a que el brazo no se mueva desde la muñeca. Con la otra mano abarcaremos el antebrazo rodeándolo con una toma suave en forma de brazalete. A continuación realizaremos un deslizamiento en forma circular, provocando una rotación de la piel que masajeamos. Repetiremos este roce varias veces ascendiendo a lo largo de todo el brazo, pero siempre en la misma dirección de giro y teniendo en cuenta que lo que debemos rotar es la musculatura y no el brazo entero. Una vez hayamos recorrido todo el brazo hasta el hombro, cambiaremos la posición de nuestras manos y realizaremos el mismo ejercicio pero con la otra mano y en la dirección contraria.

05. ROZAMIENTO CON ROTACIONES CONTRARIAS

Rodearemos el brazo con ambas manos, sin presionar en la axila y situándolas una más arriba que la otra. Presionaremos durante unos segundos para a continuación realizar movimientos de rotación en direcciones opuestas con cada mano. A la vez provocaremos una ligera tracción del brazo hacia abajo, como si quisiésemos separarlo del cuerpo. Con este doble brazalete iremos recorriendo el brazo descendiendo desde el hombro hasta la muñeca, pudiendo combinarlo de diferentes maneras:

· Contragiro primero hacia dentro a lo largo de todo el brazo hasta la muñeca, para luego volver al hombro y repetir todo el recorrido con el contragiro hacia fuera.

· Comenzar en el hombro con contragiro hacia dentro y seguidamente un contragiro hacia fuera en la misma zona.

· Descenderemos a lo largo de todo el brazo realizando siempre la misma rutina en cada zona en que nos detengamos.

· Contragiro hacia dentro, descendemos un poco con las manos y contragiro hacia fuera, volvemos a descender y contragiro hacia dentro, y así con contragiros alternativos llegamos hasta la muñeca, repitiendo el pasaje varias veces por todo el brazo.

· Conseguiremos con ello un cizallamiento de los tejidos blandos existentes bajo la piel.

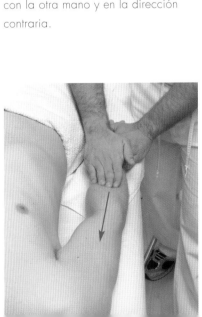

06. FRICCIÓN DE VACIADO

Una mano estará fija en el antebrazo y la otra situada un poco más arriba. Esta última se desliza ligeramente hacia el hombro por el pequeño desplazamiento que la elasticidad de la piel le permita, ya que como recordaremos, en la fricción no hay deslizamiento de la mano sobre la piel, sino de la piel sobre el músculo. Donde la mano haya llegado, la fijaremos y será la otra la que ahora se coloca por encima, realizando la fricción de manera alternativa.

EL BRAZO

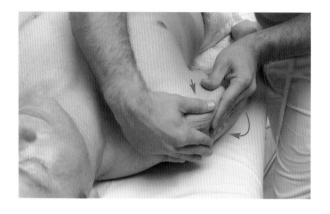

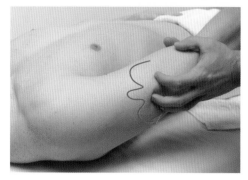

01. AMASAMIENTO DIGITOPALMAR DEL DELTOIDES Y TRAPECIO SUPERIOR

Apoyamos ambas manos sobre el hombro y comenzamos a amasar alternativamente. Dirigimos cada mano en direcciones opuestas, estirando y comprimiendo los tejidos entre los dedos largos y la palma de una y el pulgar de la otra. No podemos hacer presión fuerte porque, como apreciaremos, existen múltiples relieves óseos en esta zona. Cubriremos desde la parte más musculada que une el cuello y el hombro (trapecio superior) hasta la parte redondeada que forma la hombrera del húmero (deltoides).

02. AMASAMIENTO DIGITAL POR LA CARA POSTERIOR

En esta técnica ambas manos realizarán un movimiento circular con los dedos largos, mientras los dedos pulgares quedan situados hacia la parte delantera para evitar que el brazo se mueva en exceso. Ascenderemos desde el codo hasta el hombro, amasando con cada mano un lateral, para así abarcar todos los vientres musculares del tríceps. Las manos masajearán al mismo ritmo y ascendiendo a la vez por el brazo, separándolo de la camilla para dejar libre la zona posterior. También podemos realizar el movimiento alternativamente con las manos, aunque se requiere mayor destreza y experiencia para ello.

03. AMASAMIENTO DIGITAL POR LA CARA ANTERIOR

Una mano sujetará el brazo acunándolo por la parte posterior. Con la otra, realizaremos movimientos circulares con los dedos largos desde la parte anterior del codo hasta el hombro. Así relajaremos el bíceps con un movimiento paralelo a sus fibras musculares.

04. AMASAMIENTO NUDILLAR DE LA CARA ANTERIOR

De nuevo la mano no dominante acunará la parte posterior del brazo para separarlo de la superficie de apoyo. Con la dominante realizaremos los movimientos circulares mediante el apoyo de los nudillos de los dedos flexionados. Repetiremos varias pasadas de desplazamientos siempre con dirección desde la parte delantera del codo hasta el hombro.

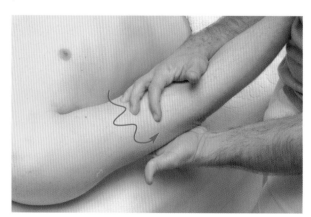

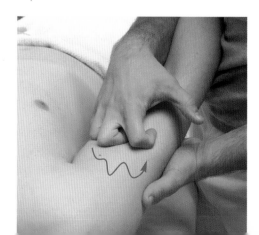

05. Amasamiento nudillar de la cara posterior

Separaremos de la camilla el brazo, apoyándolo sobre nuestras dos manos, con los dedos previamente flexionados. Sin hacer presión, sino solamente aprovechando el peso del brazo sobre nuestros nudillos, nos deslizaremos con pequeños movimientos circulares. Comenzaremos con un movimiento ascendente desde el codo hasta el hombro de ambas manos al mismo tiempo. Cuando tengamos la suficiente experiencia podremos alternar las manos.

07. Amasamiento digitopalmar de la cara anterior y posterior

Ambas manos cambiarán ahora de posición para apoyarse perpendicularmente a todo lo largo del brazo, siendo necesario para ello también el giro de nuestro cuerpo. Una mano comenzará a amasar el bíceps, abarcándolo con toda la palma y desplazándolo hacia nosotros, mientras la otra mano impide el movimiento, empujando al músculo con el dedo gordo hacia fuera. Las manos se alternarán en este movimiento transversal sin desplazarse hacia arriba o hacia abajo, ya que es muy poca superficie la que cubre el bíceps.

El movimiento de amasamiento posterior es más complicado ya que debemos sujetar el peso del brazo separado de la superficie de apoyo, a la vez que lo masajeamos. Las dos manos se colocarán también perpendicularmente al eje longitudinal del brazo, pero esta vez una por cada lado. De manera alternativa abarcaremos todo el tríceps, arrastrándolo hacia el mismo lado de la mano que lo masajea, desplazándolo, estirándolo y cizallándolo constantemente entre un lado y otro.

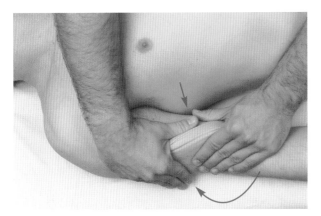

06. Tecleteos en el bíceps

Apoyamos de nuevo el brazo sobre la camilla y colocamos los dedos largos de ambas manos recorriendo toda su longitud. Como si de una máquina de escribir o un piano se tratase, recorreremos toda su superficie a lo largo y a lo ancho con pequeños golpeteos de las yemas de los dedos.

08. Vibraciones con toma en brazalete

Rodeamos con nuestras manos toda la superficie posible del brazo, que será mayor o menor dependiendo del tamaño y nos obligará a desplazarlas o no. El brazo permanecerá apoyado en la camilla, aunque sea a través de nuestros dedos. Desde los hombros provocaremos una vibración que se transmitirá suavemente a todos los tejidos del brazo, y que nunca debe provocar que el brazo se despegue del plano de apoyo.

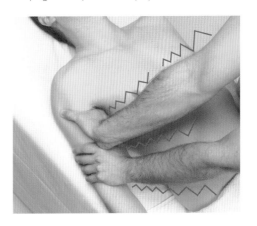

EL ANTEBRAZO

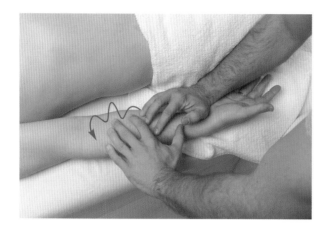

01. AMASAMIENTO DIGITAL POR LA CARA ANTERIOR

Una mano se colocará en la cara posterior del antebrazo para evitar que se desplace durante los amasamientos. Con la otra mano realizamos movimientos circulares con los cuatro dedos largos desde la muñeca hasta el codo. Insistiremos en las zonas más laterales que es donde se concentra la mayor parte de la musculatura.

03. AMASAMIENTO NUDILLAR DE LA CARA ANTERIOR

Apoyaremos el antebrazo en la camilla, estabilizándolo con el apoyo de ambas manos sobre los nudillos de los dedos flexionados. Con ambas manos a la vez o alternativamente, según prefiramos, realizamos los movimientos circulares a la vez que presionamos con firmeza contra el plano de apoyo. Debemos provocar un estiramiento de toda la musculatura hacia los laterales, como si quisiéramos alisar la zona.

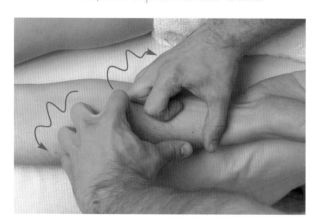

02. AMASAMIENTO DIGITAL POR LA CARA POSTERIOR

Con las dos manos acunamos el antebrazo de la persona, apoyándolo con su propio peso sobre nuestros dedos. De manera simultánea con ambas manos realizaremos los movimientos circulares de los dedos, desplazándonos hacia arriba, desde la parte posterior de la muñeca hasta el codo. Una vez adquirida la soltura suficiente, podemos alternar el movimiento de nuestras manos.

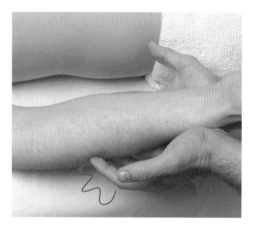

04. AMASAMIENTO NUDILLAR DE LA CARA POSTERIOR

No debemos realizar más presión que la que provoca el propio peso del antebrazo sobre nuestros nudillos. Con movimientos circulares de los dedos flexionados relajaremos toda la musculatura de la cara posterior y lateral. Lo más dificultoso de esta técnica es realizar los movimientos a la vez de ambas manos situadas en posición invertida. Cuando dominemos el amasamiento simultáneamente con las dos manos, lo aplicaremos alternativamente.

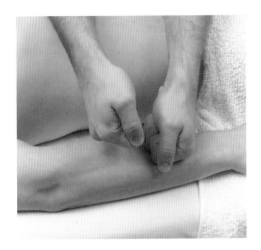

06. Percusiones con los puños

El antebrazo apoyado de nuevo en la camilla recibirá suaves golpecitos alternativamente con nuestras manos cerradas en puño. Los golpes serán firmes pero muy suaves, provocando un ligero «rebote» del antebrazo respecto al plano de apoyo. Esto significará que la persona tiene completamente abandonado el brazo a nuestra manipulación, es decir, ha alcanzado la relajación. Usaremos la parte blanda de nuestras manos para golpear la musculatura, es decir, que la zona de contacto será el borde lateral de la zona del dedo meñique. Recorreremos toda la zona desplazándonos desde la muñeca al codo y viceversa hacia abajo.

07. Amasamiento digitopalmar del antebrazo

Lo complicado de esta técnica es mantener el antebrazo libre para poder masajearlo con las dos manos. Para facilitarnos la tarea debemos dejar el brazo apoyado en la camilla y flexionar ligeramente el codo, apoyando la mano y muñeca en nuestro regazo, rodilla o mediante un rodillo hecho con una toalla. Nuestras manos se colocarán perpendicularmente al antebrazo, para amasarlo transversalmente. Con toda la palma de la mano abarcaremos la parte anterior, lateral y posterior del antebrazo, cizallando y estirando con el movimiento contrario del pulgar de la otra mano, siempre en un movimiento alternativo. A continuación giraremos nuestro cuerpo y colocaremos las manos perpendicularmente pero en la dirección contraria para masajear el otro hemilateral. Las manos comenzarán cercanas a la muñeca para ir desplazándose hacia arriba hasta llegar al codo.

05. Vibraciones con palma abierta

Mantenemos el antebrazo contra el plano de apoyo realizando una ligera presión con ambas palmas de las manos abiertas. Utilizaremos el peso de nuestro cuerpo y no la fuerza de los hombros, ya que con estos provocaremos una vibración que debemos transmitir por nuestras manos hasta toda la musculatura del antebrazo. Para no fatigarnos, intercalaremos este toque entre otros pasajes, realizándola preferiblemente durante poco tiempo y repitiéndola varias veces. El antebrazo no debe perder el contacto con la camilla durante la vibración.

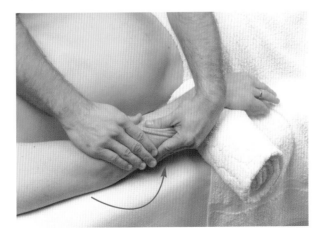

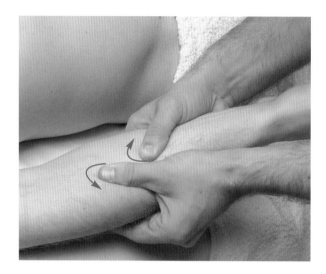

08. Amasamiento con pulgar del antebrazo

En esta técnica podemos mantener el antebrazo apoyado en la camilla si todavía no estamos muy familiarizados con el amasamiento o tomarlo entre nuestras manos mediante una cuna formada por los dedos largos (habitual si estamos realizando el masaje en la posición de sentados). Los dedos largos se quedarán quietos en la parte posterior del antebrazo para estabilizarlo y evitar que se mueva mientras que en la parte delantera apoyaremos ambos pulgares. Comenzando en la zona de la muñeca, ascenderemos hasta llegar al codo realizando movimientos circulares con nuestros pulgares. Estos círculos pueden realizarse a la vez con ambos dedos o alternándolos uno detrás de otro.

09. Tracción y estiramiento transversal del antebrazo

Cada mano tomará el antebrazo por un lado, haciendo un agarre con forma de brazalete a la misma altura. Los dedos largos quedarán apoyados en la cara posterior del antebrazo y los pulgares unidos en el centro de su parte delantera. Nos imaginaremos que estamos agarrando dos largos cilindros unidos y que debemos hacer rodar uno sobre el otro. Para ello con nuestros pulgares nos deslizaremos en sentidos opuestos, separándolos para conseguir estirar y traccionar los tejidos blandos de la zona delantera del antebrazo y por el contrario la compresión de los tejidos de la cara posterior. La rotación de los cilindros imaginarios será hacia dentro. Para provocar el movimiento contrario rotaremos los dos cilindros en la dirección contraria, hacia afuera: uniendo los pulgares por delante y con los dedos largos provocando un estiramiento y una tracción de los tejidos posteriores. Estos movimientos se deben realizar a lo largo de todo el antebrazo, con múltiples combinaciones de estos contragiros:

- Contragiro primero hacia fuera a lo largo de todo el antebrazo desde la muñeca hasta el codo, para luego volver a la muñeca y repetir todo el recorrido con el contragiro hacia dentro.
- Comenzar en la muñeca con contragiro hacia fuera y seguido de un contragiro hacia dentro en la misma zona. Ascenderemos a lo largo de todo el antebrazo realizando siempre la misma rutina en la zona en la que nos detengamos.
- Contragiro hacia fuera, ascendemos un poco las manos y contragiro hacia dentro, volvemos a ascender y contragiro hacia fuera, y así con contragiros alternativos llegamos hasta el codo, repitiendo el pasaje varias veces por todo el antebrazo.
- Podemos ascender desde la muñeca al codo o viceversa, descendiendo desde el codo hasta la muñeca.

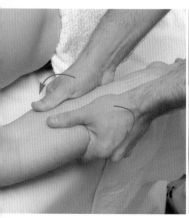
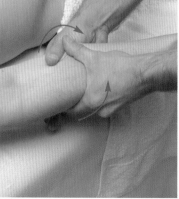

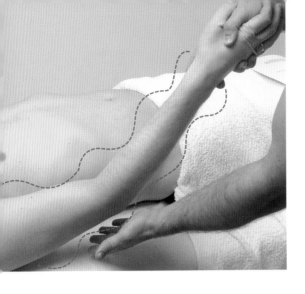

01. Sacudidas globales del brazo

Cogeremos la mano del sujeto con la nuestra como si estuviésemos estrechándolas para saludarnos y separaremos el brazo de la persona de la camilla para evitar que se golpee. A continuación provocaremos una sacudida suave desde la mano hasta el hombro, pidiendo a la persona que está recibiendo el masaje que relaje todo lo que pueda el brazo, abandonándolo a su propio movimiento.

02. Rodamiento por la camilla

El brazo vuelve a descansar sobre el plano de apoyo. Situaremos con una leve presión nuestras palmas de las manos abiertas, una en el brazo y la otra en el antebrazo. Como si de un rodillo de cocina para amasar las mezclas se tratase, haremos rodar todo el brazo rápidamente hacia un lado y otro.

Realizaremos giros breves, para no retorcer en exceso el brazo, pudiéndonos orientar por la posición de la mano, que se encontrará libre y en cambio constante desde la posición de palma arriba hasta palma abajo. Pediremos a la persona a la que estamos dando el masaje que intente abandonar el control del brazo, que lo relaje. Al principio puede resultar una tarea difícil, pero poco a poco se irá aprendiendo mediante la concentración.

03. Estiramiento global de la cara anterior y de la posterior

Ayudándonos de ambas manos debemos colocar el brazo en separación del cuerpo (abducción) de unos 90° aproximadamente y ligeramente extendido hacia atrás. Abriremos todos los dedos de la mano y llevaremos la muñeca hacia atrás. El codo permanecerá estirado. De esta manera, la persona notará un suave estiramiento de toda la zona delantera del brazo, del antebrazo y de la palma de la mano.

Para actuar sobre la cara posterior, ayudándonos de nuestras dos manos, debemos situar el brazo de la persona en la posición contraria. Con el codo estirado, llevaremos el brazo hasta apoyarlo en el hombro contrario. La mano permanecerá cerrada en puño y con la muñeca flexionada hacia delante. Apreciaremos el estiramiento de toda la parte posterior del brazo, antebrazo y dorso de la mano.

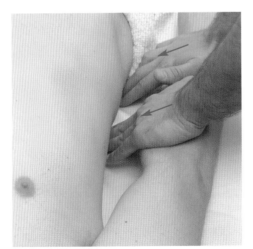

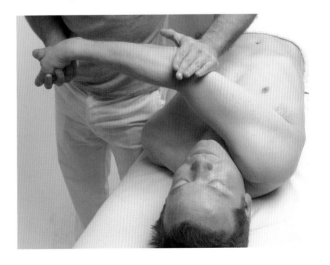

B. TUMBADO BOCA ABAJO

Lo más adecuado es haber masajeado, con la persona tumbada boca arriba, primero un brazo y luego el otro. A continuación se situará boca abajo para volver a masajear el primer brazo y después el otro, evitando así que la persona tenga que estar cambiando constantemente de postura, lo que produciría constantes sensaciones de interrupción poco agradables cuando nos relajamos. Nuestra colocación no variará, pues nos situaremos en el lado de la camilla del brazo que estamos trabajando. Solamente debemos tener en cuenta que cuando la persona se gira para tumbarse boca abajo, el lado donde reposarán los brazos derecho e izquierdo se invierten. Las técnicas no deben finalizar en el brazo, sino ascender hasta la zona de músculos que hay en el hombro hasta la escápula y el trapecio superior. Esta posición permite que estas zonas queden libres y la persona nos lo agradecerá ampliamente, debido a que provocaremos con esto una gran sensación de relax.

01. VACIADO CON ROCE DESDE MANO AL HOMBRO

Todo el brazo descansa apoyado a lo largo del cuerpo, con la palma de la mano hacia abajo. Deslizaremos suavemente nuestra mano con la palma abierta, pero adaptándonos a todas las superficies, desde la muñeca hasta el hombro, deltoides y trapecio. Para ello debemos imaginarnos que queremos vaciar de sangre el brazo, que pretendemos alisarlo o plancharlo contra el plano de apoyo. Primero masajearemos con una mano y a continuación con la otra, alternativamente, o podemos hacer el pasaje con ambas manos a la vez colocadas una más arriba que la otra.

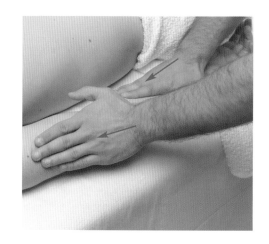

02. AMASAMIENTO DIGITAL DEL ANTEBRAZO POSTERIOR Y TRÍCEPS

El brazo descansa sobre la camilla. La posición de nuestras manos sobre el brazo de la persona variará en función del tamaño, pudiendo situarlas una al lado de la otra si el espacio lo permite o una más arriba que la otra en caso contrario. Realizaremos movimientos circulares con los dedos largos de manera simultánea y alternativa de ambas manos, siempre comenzando en la muñeca y dirigiendo nuestro desplazamiento hacia el hombro. No debemos olvidar masajear hasta las zonas laterales, donde encontramos musculatura importante, como las cabezas laterales del tríceps.

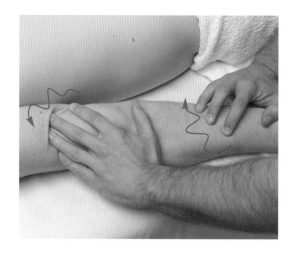

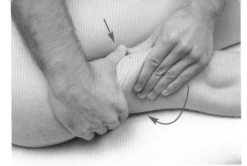

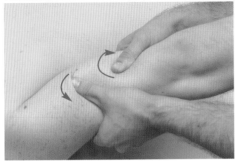

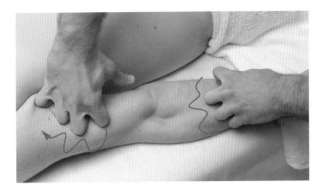

03. Amasamiento digitopalmar y pulgar del antebrazo y tríceps

Como ya sabemos, el amasamiento digitopalmar exige situarnos perpendicularmente al eje largo del brazo. Para ello rotaremos nuestro cuerpo y apoyaremos ambas manos, comenzando a amasar desde la muñeca hasta el hombro. En el antebrazo será poco el tejido muscular que podamos abarcar, ya que la musculatura es más pequeña, sin embargo los grandes vientres musculares del tríceps nos permitirán realizar la técnica mas cómodamente. Como recordamos, una mano abarcará con toda la palma el tejido, desplazándolo hacia nosotros, mientras que la otra mano cizalla y estira con el pulgar en direcciones opuestas. Este movimiento se repetirá cíclica y alternativamente con las dos manos.

Para el amasamiento con el pulgar tomaremos el antebrazo por ambos lados entre nuestras manos colocando los dedos largos entre la camilla y la zona de apoyo y los pulgares en la cara de arriba del brazo. Amasaremos con nuestros pulgares en movimientos circulares alternativamente. Comenzaremos a la altura de la muñeca y ascenderemos hasta el hombro. Cuando pasemos por el codo, separaremos los pulgares para no masajear la zona de hueso.

04. Amasamiento nudillar del antebrazo posterior y tríceps

Colocaremos ambas manos una al lado de la otra apoyadas sobre los nudillos de los dedos flexionados, abarcando toda la circunferencia del brazo, que descansa en su totalidad sobre el plano de apoyo. Los movimientos circulares de los nudillos pueden ser a la vez o de manera alternativa, pero siempre produciendo un suave estiramiento de los tejidos hacia los laterales. Comenzaremos desde el antebrazo para ir ascendiendo hasta el hombro.

05. Tracción y estiramiento transversal del antebrazo y del brazo

Todo el brazo descansa sobre el plano de apoyo de nuevo. Colocaremos nuestras manos palma con palma y las apoyaremos por el lateral del meñique en el centro del antebrazo, manteniendo una ligera presión durante algunos segundos. Iremos separando nuestras palmas progresivamente según dejamos pasar la musculatura entre ellas, provocando un roce como si quisiéramos separar el brazo en dos partes. Cada lado del antebrazo será recorrido por toda la palma de la mano, hasta que éstas queden apoyadas en la camilla a ambos lados. Debemos provocar una tracción y un estiramiento transversal de la musculatura del antebrazo y ascenderemos para masajear también el brazo.

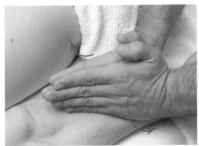

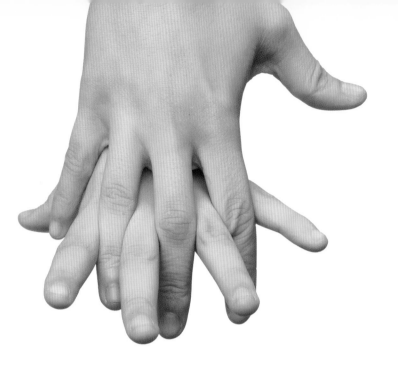

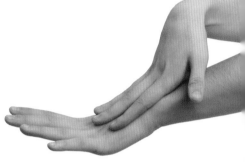

C. EL MASAJE RELAJANTE DE LA MANO

Nos sentaremos en dos sillas enfrentadas, ligeramente lateralizadas para poder aproximarnos más a la persona y no chocar con sus rodillas. Tomaremos la mano de la persona con la palma hacia arriba y la apoyaremos en nuestro regazo o sobre una superficie almohadillada colocada entre los dos.

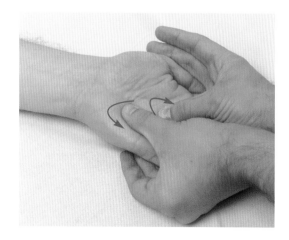

01. AMASAMIENTO PULPOPULGAR DESDE LOS DEDOS HASTA LA MUÑECA

Para comenzar situaremos nuestros pulgares juntos en la base del dedo corazón. Desde este punto trazaremos una línea recta en dirección hacia la muñeca con un movimiento circular y alternativo de los pulgares. A continuación retrocederemos hasta la base del dedo índice y repetiremos el desplazamiento trazando la línea desde ese punto. De la misma manera recorreremos la mano varias veces desde la base de todos los dedos, menos desde el pulgar.

02. ESTIRAMIENTO GLOBAL EN APERTURA DE MANO

De nuevo colocamos ambos pulgares juntos en la base del dedo corazón. A continuación los separaremos con un suave roce que recorrerá todo el ancho de la mano, pasando por la base del resto de los dedos. Al mismo tiempo que realizamos esto, nuestros dedos más largos, colocados en la parte posterior, provocarán una mayor apertura de la mano para estirarla lo máximo posible. Al llegar a cada lado de la mano relajaremos la presión y regresaremos al punto inicial pero avanzando un poco la posición de los pulgares hacia el centro de la mano. Trazaremos cada vez una línea más cercana y paralela a la muñeca, como señalando los diferentes renglones de la página de un libro, pero siempre provocando una convexidad en la palma de la mano y una concavidad en el dorso.

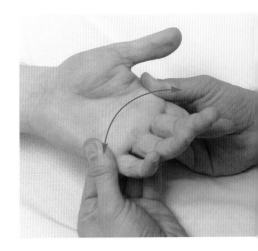

CÓMO COGER LA MANO ADECUADAMENTE

Cuando estamos iniciándonos, nos damos cuenta de lo difícil que es masajear la mano. La tendencia de los músculos cuando los relajamos es a cerrarse en puño, lo que nos impide dar el masaje adecuadamente, ya que los dedos se interponen constantemente en nuestro camino. La experiencia nos permitirá saber qué posición nos resulta más adecuada para coger la mano y en la que nos encontramos más cómodos, ya que pueden ser múltiples. Mientras tanto, aquí tenemos un pequeño truco para coger la mano sin que se nos cierren los dedos:

· Colocaremos nuestras manos juntas y enfrentadas palma con palma. Separaremos los dedos unos de otros, en especial los meñiques de los anulares. Entre estos dos últimos pares de dedos introduciremos el dedo corazón de la persona a quien le vamos a aplicar el masaje relajante de mano. A continuación separaremos nuestras palmas y con ayuda de los meñiques y los anulares conseguiremos abrir la mano de la persona sin dificultad, a la vez que podemos masajear su piel con los pulgares ahora libres.

· Dependiendo del tamaño de las manos del que aplica el masaje y del que lo recibe, esta postura puede ser más o menos forzada. Nosotros mismos podemos variarla tomando y abriendo la mano desde distintos espacios interdigitales, adaptándola a nuestras necesidades. Lo importante es dejar libres los pulgares para que puedan masajear, mientras los otros dedos se ocupan de evitar que la tendencia a cerrar la mano de la musculatura relajada se interponga.

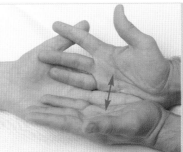

03. Amasamiento con el pulgar insistiendo en los músculos lumbricales e interóseos

Estos músculos se encuentran entre los huesos metacarpianos de las manos, que son los relieves óseos que podemos palpar en la palma de la mano cercana a los dedos. La relajación de las manos depende en gran medida de la tensión que acumulan estos músculos, por esto debemos insistir en su amasamiento. Comenzaremos palpando los huesos metacarpianos de los dos primeros dedos para situarnos. Una vez localizados, introduciremos ambos pulgares entre ellos, uno delante del otro, realizando movimientos circulares sin desplazamiento. Imaginaremos que queremos separarlos con un suave amasamiento poco profundo y en ningún caso debe ser doloroso. Esta misma secuencia debemos repetirla en los espacios existentes entre los metacarpianos de cada dedo, insistiendo mucho entre el dedo pulgar y el índice, cuyo masaje es más fácil por la gran masa muscular existente.

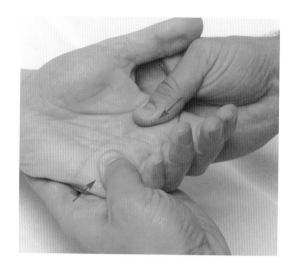

04. Estiramiento global en cierre de mano

Este ejercicio es exactamente el contrario del estiramiento global en apertura de la mano descrito anteriormente. Colocaremos nuestros dedos pulgares separados, uno en la base del dedo meñique y otro en la base del dedo índice. Con un suave roce que recorrerá la base del resto de los dedos los uniremos en el centro, mientras que los dedos largos situados en la parte posterior aplican una presión en dirección al cierre de la mano, provocando una convexidad en el dorso de la mano y una concavidad en la palma.

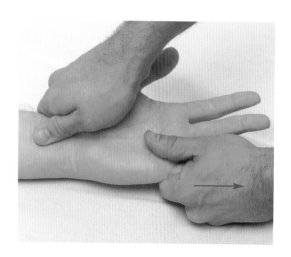

05. Roce con estiramiento desde la muñeca a la puntas de los dedos

Una de nuestras manos quedará fija, estabilizando desde un lateral la mano de la persona que está recibiendo el masaje, para que no se mueva. Con la otra mano y abarcando ambas caras, aplicaremos un suave roce que recorrerá la muñeca, la palma y el dorso de la mano hasta el dedo meñique, que rodearemos completamente y traccionaremos como si estuviésemos «ordeñándole». A continuación repetiremos el masaje pero descendiendo hacia cada uno de los dedos, cambiando la mano que estabiliza cuando sea necesario.

06. Tracción y rotación de cada dedo

Por último realizaremos una pinza entre nuestros dedos pulgar e índice. Sujetaremos con ella el dedo meñique por sus laterales, en la zona de unión a la mano. Desde esta posición realizaremos diferentes combinaciones de rozamiento hasta la punta del dedo por ambos lados:

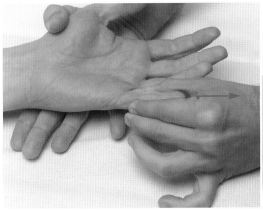 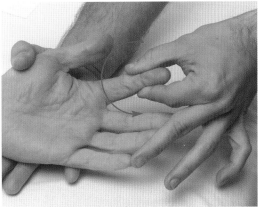

· Descenderemos con un suave roce por ambos laterales del dedo, a la vez que realizamos una ligera tracción hacia abajo, como si quisiésemos separar el dedo de la mano y huesos que lo componen entre sí.

· A la vez que descendemos y traccionamos hacia abajo provocaremos una torsión del dedo. A continuación regresaremos a la posición inicial y realizaremos la torsión en el sentido opuesto.

· Descenderemos un pequeño recorrido aplicando además una torsión en dirección a las agujas del reloj y el siguiente avance recorrerá otra pequeña área de piel con la torsión en dirección contraria a las agujas del reloj. Se alternarán de esta manera los contragiros según descendemos con el rozamiento digital.

· Podemos aplicar toques de rozamiento con la yema de los dedos pulgar e índice, en las que habrá un deslizamiento respecto a la piel de la persona, o también técnicas de fricción en las que este deslizamiento no existirá. Será en este caso la piel de la persona la que se desliza por encima de los músculos que se encuentran debajo.

Todas estas combinaciones de ejercicios las realizaremos una a una en cada dedo de la mano, incluido el pulgar.

Masaje relajante para los brazos

06 MASAJE RELAJANTE DE PIERNAS

No cabe duda de que las piernas no dejan de trabajar en ningún momento durante el día: caminar, correr, sentarnos o levantarnos. Esto explica la cantidad de tensión que acumulan y por eso es entendible lo agradecido que es un masaje de piernas. Es habitual recibir un gran agradecimiento de la persona a la que masajeemos las piernas, ya que notará sensaciones de fuerte alivio y relajación que nos describirá con frases como: «PARECE QUE FLOTO O QUE LAS PIERNAS ME PESAN MENOS».

El masaje relajante de piernas se puede aplicar primero completo en una pierna y luego en la otra o alternando los pasajes por zonas, siempre trabajando a la vez ambos muslos, luego las piernas y por último los pies.

DIRECCIONES DEL MASAJE

Lo más habitual será desplazar nuestras manos desde el pie en dirección hacia la cadera. También podremos realizar toques transversales, a lo ancho del muslo o la pierna. Si las técnicas son poco profundas, podremos realizar el deslizamiento en dirección hacia el pie. En el pie podremos deslizar nuestros dedos indistintamente en cualquier sentido y dirección.

PRECAUCIONES

De esta manera quedará accesible a nuestras manos la parte delantera de la pierna. Con la experiencia seremos capaces también de masajear desde esta posición la parte posterior, tan sólo con flexionar la pierna y apoyando la planta del pie. Cuando estamos iniciándonos, esta posición puede ser dificultosa ya que nuestras manos deben masajear en posición invertida, sin plano de apoyo donde presionar y además no vemos con nuestros ojos lo que palpamos. Por ello, al principio podemos pedir a la persona que se coloque boca abajo una vez finalizado el masaje en la parte anterior, siendo así más sencillo para nosotros masajear la zona posterior.

Otra posibilidad será aplicar el masaje a la persona sentada en una silla colocando en frente otra silla donde nos situaremos nosotros. La rodilla estará ligeramente doblada y fijaremos su pie entre nuestras piernas. La desventaja que entraña esta posición es la dificultad de relajarse para la persona que recibe masaje.

La persona que aplica el masaje está habitualmente situada en un lado de la camilla, con el cuerpo girado hacia la cabeza, hacia los pies o perpendicularmente, dependiendo de la zona que estemos masajeando. Para el masaje específico de los pies nos colocaremos en la parte baja de la camilla, pudiéndonos sentar en una silla colocada en esta zona, para así situar nuestras manos a la altura adecuada. Otra posición frecuente que adoptaremos una vez estemos más iniciados en el masaje, será sentados en la camilla, sujetando con nuestro peso el pie de la persona. Con esto conseguiremos que mientras tiene la pierna doblada para masajear su parte posterior, no se escurra y pueda relajarse.

Es importante colocar al sujeto en una posición en la que no se encuentre incómodo ni tenga que estar preocupado por «sujetarnos» la zona que le masajeamos. Esto es muy habitual en brazos y piernas, que tienden a escurrirse e impiden que la persona pueda concentrarse en relajarse. Por ello debemos asegurar bien la zona que estamos masajeando, ya sea contra el plano de apoyo, contra nuestro cuerpo o con una firme presión de nuestras manos, para que la sensación de estabilidad y seguridad que tenga la persona le haga confiarnos su cuerpo.

MASAJE RELAJANTE PARA LAS PIERNAS

La siguiente secuencia de masaje comenzará con el sujeto tumbado boca arriba para masajear tanto la parte anterior como la posterior de todo el miembro inferior. Cuando hayamos trabajado ambas piernas en esta posición pediremos a la persona que se coloque boca abajo para insistir en la musculatura de la cara posterior del muslo y la pierna.

Para finalizar aplicaremos el masaje en el pie con la persona que está recibiendo el masaje tumbada de nuevo boca arriba.

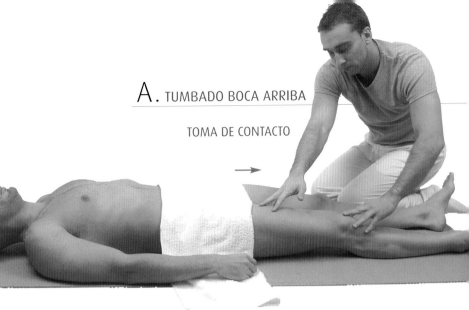

A. TUMBADO BOCA ARRIBA

TOMA DE CONTACTO

01. PASAJES SEDANTES MAGNÉTICOS

Comenzaremos el masaje situados en un lado del paciente. Recorreremos con las puntas de los dedos largos toda la longitud de la pierna desde la ingle hacia los dedos de los pies. Trazaremos líneas verticales por la zona central y por ambos laterales, alternando ambas manos en este suave cosquilleo.

02. ROCE SUPERFICIAL A LO LARGO DE TODA LA PIERNA

Desde la misma posición apoyaremos las palmas de las manos una junto a la otra en los laterales del pie. Con las manos planas, realizaremos un rozamiento cubriendo toda la superficie de la pierna. Nos deslizaremos desde el pie, por el tobillo, pierna, pasando por los laterales de la rodilla y parte alta del muslo, abarcando la parte central y ambos laterales. Si esto no es posible por el pequeño tamaño de las manos respecto a las piernas, entonces realizaremos varias veces el masaje de roce en posiciones distintas de las manos, cada vez abarcando una zona.

03. SACUDIDAS GLOBALES

Nos desplazamos para colocarnos a los pies de la camilla. Tomaremos con ambas manos el tobillo de la persona que está recibiendo el masaje, elevando toda la pierna unos centímetros por encima de la superficie de apoyo. A continuación provocaremos unos movimientos oscilatorios rápidos, provocando sacudidas laterales y hacia arriba y abajo, que hagan temblar y relajar toda la musculatura. Evitaremos coger desde el pie en esta técnica, ya que resulta molesto y doloroso.

PARTE DELANTERA DEL MUSLO

Los principales músculos que encontramos en esta zona son el cuádriceps y el sartorio. Los pasajes de masaje que apliquemos deben abarcar también hasta los laterales del muslo, donde llegan estos músculos y encontramos otros: en la parte interna están los aductores y en la parte externa los abductores, como el tensor de la fascia lata y el glúteo medio.

01. ROCE PROFUNDO DE VACIADO

Esta vez las manos no se colocarán aplicando la palma completamente plana sobre la piel, si no que nos adaptaremos a la forma del muslo, adaptándonos a cada relieve y abarcándolo completamente, como si quisiéramos rodearlo. El roce se realizará en dirección desde los laterales de la rodilla hacia arriba, imaginándonos que intentamos provocar un vaciado de sangre de los vasos de la zona. Aplicaremos esta técnica desde el lateral de la camilla de la pierna que masajeamos.

02. Amasamiento digital en dirección hacia arriba

Apoyamos nuestras manos a ambos lados de la rodilla y desde esta posición realizamos los movimientos circulares con los dedos largos propios del amasamiento digital. Ambas manos realizarán los movimientos simétricos a la misma vez. Ascenderemos en dirección hacia la cadera, masajeando toda la superficie posible, realizando círculos muy amplios, de manera que cada mano abarque desde el centro hasta cada lateral.

A continuación las manos realizarán los mismos movimientos circulares pero de manera alternante, buscando una mayor relajación de toda la musculatura.

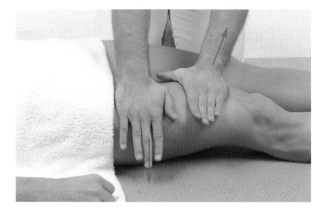

03. Roces transversales y alternativos

Continuamos situados en un lateral de la camilla, pero rotaremos nuestro cuerpo para colocarnos perpendiculares a la pierna. Ambas manos quedarán apoyadas también perpendicularmente sobre el centro del muslo, juntas y con las palmas abiertas. Desplazaremos una mano hacia delante rozando suavemente la piel, al mismo tiempo que con la otra mano nos deslizamos hacia atrás. Cuando hemos llegado al límite con ambas manos, se invertirán las direcciones de cada mano, cizallando los tejidos en sentido contrario. Repetiremos el ejercicio múltiples veces a la vez que nos desplazamos hacia la cadera y hacia la rodilla para masajear toda la musculatura del muslo.

04. Amasamiento nudillar en dirección hacia arriba

Giramos nuestro cuerpo para mirar hacia la cabeza de la camilla, desde el mismo lateral del muslo que masajeamos. Esta zona es probablemente la más adecuada para realizar este masaje, debido a la gran masa muscular del cuádriceps. Este pasaje nos permite hacer una mayor presión sin provocar dolor y eliminando las grandes tensiones que se acumulan en este potente músculo. Colocando las dos manos en los laterales de la rodilla para comenzar, ascenderemos hasta la parte alta del muslo trazando círculos con los nudillos de los dedos largos flexionados. Es difícil abarcar toda la superficie con una sola pasada, por lo que repetiremos la técnica varias veces, modificando la posición de nuestras manos hacia el centro y hacia ambos laterales. Lo más recomendable es realizar esta técnica siguiendo siempre la dirección del retorno venoso hacia el corazón.

05. Fricción alternativa

Las palmas de las manos se apoyan juntas, con los dedos en dirección hacia la cadera. Desplazaremos la mano derecha hacia arriba, sin deslizarla por la piel, sino haciendo que ésta se estire todo lo que permita. Al mismo tiempo desplazaremos la mano izquierda hacia abajo, con el mismo propósito. Una vez llegados al límite de extensibilidad de la piel, invertiremos el sentido de cada mano, dirigiendo la derecha hacia abajo y la izquierda hacia arriba. Repetiremos constantemente estos movimientos suave y lentamente, estirando y movilizando la piel por encima de los tejidos musculares más profundos. Cuando finalizamos de trabajar una zona, levantamos las manos para desplazarlas a otra área cutánea diferente, hasta completar toda la superficie del muslo.

06. Amasamiento con pulgar

Juntamos ambos pulgares encima de la rodilla. Desde este punto trazaremos líneas verticales hasta la cadera y paralelas para que abarquen todo el muslo. Recorreremos estas líneas imaginarias con el movimiento circular de nuestros pulgares, comenzando con ambas a la vez y luego alternativamente.

07. Vibraciones

De nuevo abrimos las manos para apoyar las palmas directamente sobre la piel, abarcando la mayor extensión posible. Haciendo temblar nuestros hombros y mediante una ligera presión hacia abajo, transmitiremos la vibración a toda la musculatura. Las manos no se deslizarán sobre la piel de la persona que recibe el masaje durante la vibración. Solamente las desplazaremos mientras descansamos del fatigoso esfuerzo que supone esta técnica, para provocar la vibración por toda la superficie del muslo.

A tener en cuenta

Es importante recordar que los músculos que se encuentran en el muslo son de los más potentes y grandes del cuerpo. Cuando estemos masajeándolos, notaremos que nuestros dedos tienen que hacer más fuerza de lo habitual para conseguir una ligera presión sobre ellos y movimientos más amplios para abarcarlos por completo. Incluso podemos llegar a sentir leves molestias y fatiga al aplicar determinadas técnicas como el amasamiento digital, si no estamos acostumbrados.

Esto nos obliga a ser precavidos y prevenir posibles lesiones o sobrecargas de nuestras manos. Será de gran utilidad intercalar tiempos de reposo para nuestros dedos entre estos toques más dificultosos, utilizando técnicas de roce u otras que no nos supongan grandes esfuerzos para que la persona no aprecie las interrupciones. Si tenemos en cuenta este consejo, nos evitaremos complicaciones desagradables para la persona que está recibiendo el masaje.

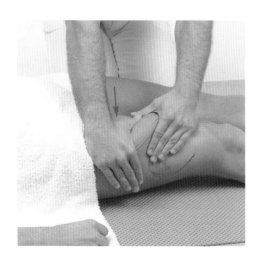

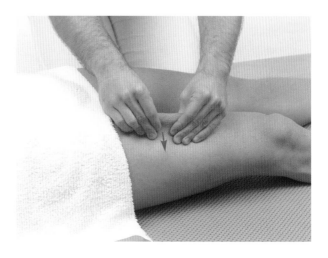

08. AMASAMIENTO DIGITOPALMAR TRANSVERSAL

El apoyo de las manos será ahora transversal a las fibras musculares, es decir, perpendicular al muslo y con los dedos en dirección hacia el otro muslo. El masajista estará situado en el lateral del paciente del mismo muslo que vayamos a trabajar y con el cuerpo girado hacia él. Alternativamente una mano abarcará toda la masa muscular que le sea posible «arrastrándola» hacia nosotros, mientras la otra mano comprime los tejidos en la dirección opuesta, consiguiendo el cizallamiento muscular. Estos movimientos se repetirán lentamente, a la vez que deslizamos ambas manos por todo el muslo, comenzando encima de la rodilla y ascendiendo hasta la cadera, para a continuación descender de nuevo.

09. PINZADO RODADO TRANSVERSAL Y LONGITUDINAL

Entre ambos dedos pulgares e índices tomaremos un «pellizco» de la zona externa del muslo del lado de la camilla donde nos encontramos situados. Empujando el tejido cutáneo con los pulgares por detrás y haciéndolo rodar con los índices por delante, deslizaremos esta pequeña «ola» hasta la cara interna del muslo. Lo más dificultoso de la técnica es conseguir que el tejido no se estire y perdamos el «pellizco». Dibujaremos con este ejercicio multitud de líneas transversales a lo ancho del muslo para que abarquen toda su superficie. A continuación tomaremos un pellizco en la piel situada por encima de la rodilla. Esta vez deslizaremos el tejido cutáneo longitudinalmente, en líneas verticales ascendiendo hasta la cadera, de igual manera, buscando masajear toda la extensión posible.

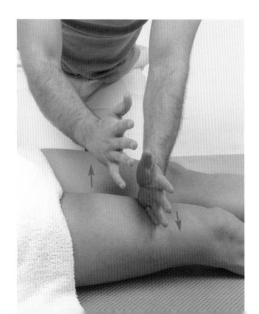

10. PERCUSIONES EN CACHETE CUBITAL

A continuación golpearemos con el borde del dedo meñique de ambas manos a dos tiempos. Los dedos estarán relajados y debemos seguir un ritmo lento para conseguir relajar la musculatura. Empezaremos percutiendo en la zona baja del muslo, prestando mucha atención para no golpear encima de la rótula, y ascenderemos por toda su longitud hasta la cadera, evitando el hueso del fémur y de nuevo descenderemos. También desplazaremos nuestras manos por las caras interna y externa del muslo, para masajear los abductores y aductores.

11. Percusión palmada cóncava

Colocamos la palma de la mano cóncava, en forma de cuenco. Golpearemos a tiempos distintos con cada mano por toda la superficie de la piel, hacia arriba, hacia abajo y hacia los laterales. El sonido que producimos debe ser sordo, como de «vacío» y nunca como una palmada. El ritmo no debe ser muy rápido, ya que sino obtendríamos el efecto de activación muscular, contrario al que buscamos.

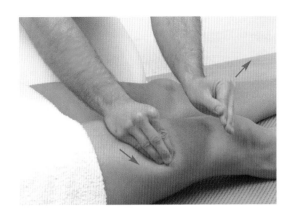

12. Presión progresiva con la palma de la mano

Ambas manos juntas se situarán a cada lado del muslo. Progresivamente iremos poniendo más peso de nuestro cuerpo encima de ellas, para evitar hacer presión solamente con la fuerza de nuestros hombros.

El objetivo es comprimir la musculatura contra el plano de apoyo a la vez que hacemos una ligera tracción intentando separar los músculos de cada lado. Moveremos nuestras manos hacia arriba y hacia abajo para provocar el mismo efecto a lo largo de todo el muslo.

PARTE POSTERIOR DEL MUSLO

Flexionamos la pierna de la persona que recibe el masaje y le pedimos que apoye la planta del pie en la camilla. Nosotros nos sentaremos suavemente sobre su pie para evitar que la pierna se mueva al relajarse. Nos sentaremos en la camilla, en el lateral de la pierna que estemos masajeando, con las piernas colgando libres y el cuerpo girado hacia la persona. Los principales músculos que encontramos en esta zona son los isquiotibiales.

01. Roce suave hacia arriba

Ambas manos se deslizarán alternativamente desde la zona baja del glúteo hasta la corva. La posición de nuestros dedos será como si estuviésemos agarrando una cuerda muy gruesa, como el muslo, de manera que los pulgares quedan hacia los laterales y separados del resto de los dedos.

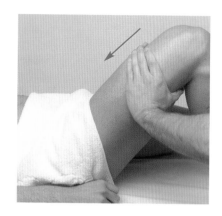
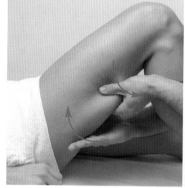
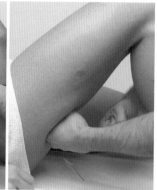

02. ROCE PROFUNDO DE VACIADO

A continuación, la colocación de las manos se invierte, dejando los pulgares juntos en la cara posterior del muslo y el resto de los dedos hacia cada uno de los laterales. Rodearemos con esta toma la parte superior de la rodilla, en posición de brazalete y desde allí descenderemos hasta el glúteo con ambas manos a la vez. Imaginaremos que queremos vaciar de sangre el muslo, ayudando el retorno de la sangre por las venas hacia el corazón, por lo que aplicaremos a la vez una pequeña fuerza de compresión del muslo. Repetiremos varias veces el pasaje, siempre desde la rodilla hacia la cadera.

03. AMASAMIENTO PALMAR ALTERNATIVO

Esta vez los movimientos de las manos se aplicarán transversalmente, a lo ancho del muslo. Cada mano por un lado amasará la musculatura, tomándola y desplazándola hacia su lateral. Primero una y luego la otra, alternándose en movimientos con direcciones opuestas. Las manos avanzarán por el muslo haciendo esta técnica, desde la corva hasta el glúteo y una vez finalizado el recorrido se desplazarán al contrario, desde el glúteo hasta la corva.

04. PERCUSIONES CON MANO EN PUÑO

Cerraremos nuestras manos flexionando todos los dedos. Rotaremos las muñecas hasta colocar el borde del lado pulgar y del índice de la mano apoyado contra la parte posterior del muslo. Golpearemos reiteradamente en esta posición, alternando las manos en dos tiempos y desplazándolas por toda la superficie cutánea. El orden de desplazamiento será indiscriminado: subiendo, bajando y hacia ambos laterales, pero procurando que ambas manos siempre se mantengan a pocos centímetros de distancia.

05. ESTIRAMIENTO SUAVE DE ISQUIOTIBIALES

Para finalizar, estiraremos la pierna de la persona a la que estamos aplicando el masaje y colocaremos el pie en nuestro hombro. Así estamos estirando la musculatura posterior del muslo que habitualmente se encuentra acortada en todas las personas. Si esto sucediese y la posición resultara incómoda o dolorosa para la persona, deberemos adaptarnos a una altura menor, bajándonos de la camilla si es necesario. Es fundamental para que el estiramiento sea efectivo que la rodilla esté estirada, independientemente de la altura a la que coloquemos la pierna. Mantendremos esta posición durante un minuto aproximadamente.

Esta es una zona que tiene poco contenido muscular. El hueso que palpamos es la tibia y sólo está protegida en su parte externa por el músculo tibial anterior. Como ya hemos aprendido, no debemos masajear estas zonas óseas, por lo que nos centraremos en el tibial anterior, un músculo que acumula enormemente la tensión. Este pasaje será muy agradecido por la persona que recibe el masaje, porque produce sensaciones de descarga de la tensión y bienestar.

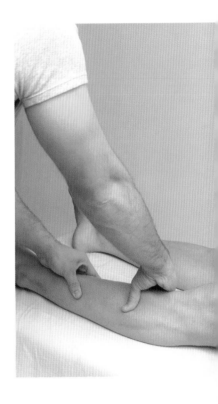

01. ROCES LONGITUDINALES DEL TIBIAL ANTERIOR CON LOS PULGARES

Nos situamos en el mismo lado de la camilla que el de la pierna sobre la que vamos a aplicar el masaje. Nuestras manos rodearán la pierna, con los pulgares en la parte exterior y el resto de los dedos en la parte interna. Deslizaremos suavemente el primer pulgar desde el tobillo hasta la rodilla (sin llegar a la rótula), notando cómo el músculo se hunde bajo nuestros dedos. Una vez que lleguemos arriba será el otro pulgar el que descienda recorriendo el camino en la dirección contraria (desde arriba hacia abajo). Comenzaremos con presión suave e iremos incrementándola según nos tolere la persona, ya que esta zona está habitualmente tensa y puede ser dolorosa.

02. TECLETEOS DEL TIBIAL ANTERIOR

Siendo muy precavidos para percutir sólo en la zona externa de la pierna, realizaremos suaves golpecitos con todos los dedos situados a lo largo del vientre del músculo. Si notamos que la superficie que tecleamos es muy dura, debemos desplazar nuestras manos a otras zonas donde la tibia esté recubierta por músculo. Teniendo en cuenta estas pequeñas precauciones y sabiendo que la presión que podemos ejercer con esta técnica de percusión es muy suave, no corremos riesgo de provocar dolor.

En esta zona se encuentra el tríceps sural, compuesto por los músculos gemelos y sóleo. Son músculos muy potentes y una de las zonas corporales donde más tensión se acumula, por lo que a veces el masaje es algo molesto o doloroso. Nuestra posición vuelve a ser sentada lateralmente sobre la camilla y con la punta del pie de la persona sujeta bajo nuestros glúteos.

03. AMASAMIENTO PALMAR ALTERNATIVO

Situamos nuestras manos con las palmas abiertas en ligera forma cóncava a lo ancho de la pierna, cada una por un lado. Con una mano realizaremos un suave amasamiento transversal de la musculatura, traccionando de ella primero hacia un lado y luego hacia el otro. La otra mano hará el mismo movimiento pero en el lado contrario. Ascendemos desde el tobillo a la corva y descendemos de manera contraria.

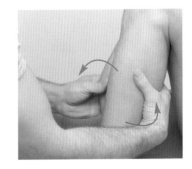

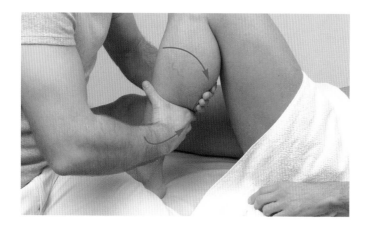

sangre toda la pierna y dirigirla hacia el corazón empujándola con las manos. Repetimos este toque varias veces, siempre desde abajo hacia arriba cada vez.

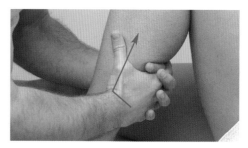

02. Roce suave con torsión alternativa

Con las manos abiertas rodearemos la zona alta del tobillo, en forma de brazalete. Una mano quedará más arriba respecto a la otra, para poder realizar movimientos circulares de giros contrarios. Este roce de torsión y cizallamiento se puede combinar de diferentes maneras, mientras ascendemos o descendemos por toda la pierna.

· Contragiro primero hacia dentro con ambas manos a lo largo de toda la pierna, para luego volver al tobillo y repetir todo el recorrido con el contragiro hacia fuera.

· Comenzar en el tobillo con un contragiro hacia dentro y seguidamente un contragiro hacia fuera en la misma zona. Ascendemos a lo largo de toda la pierna realizando siempre la misma rutina en cada zona en la que nos detengamos.

· Contragiro hacia dentro, ascendemos un poco las manos y contragiro hacia fuera, volvemos a descender y contragiro hacia dentro, y así con contragiros alternativos llegamos hasta la rodilla, repitiendo el pasaje varias veces por todo el brazo.

04. Estiramiento suave de gemelos

Estirando la pierna, la colocaremos de nuevo encima de nuestro hombro, siempre según la tolerancia. A continuación pediremos a la persona que, manteniendo la rodilla estirada, tire de la punta del pie hacia su cara. Apreciará entonces una sensación de tirantez en toda la parte posterior de la pierna, que en ningún caso debe ser dolorosa y que ella misma debe mantener constante y regulada por la contracción y relajación del pie. Mantendremos esta posición durante aproximadamente un minuto.

03. Roce profundo de vaciado

Crearemos con nuestras manos una pequeña cuna con los dedos largos de ambas manos entrecruzados. Colocaremos las manos de tal manera que los dedos pulgares libres, queden cada uno en un lateral, mientras que el resto abarcan toda la musculatura posterior de la pierna. Comenzaremos aplicando una fuerza de compresión durante algunos segundos para después ir ascendiendo desde el tobillo hasta el hueco poplíteo. Imaginaremos que queremos vaciar de

05. Pellizcos en pico de pato

Vamos a construir una pequeña pinza entre el pulgar y el resto de los dedos de cada mano. Con ella pellizcaremos cada uno de los músculos gemelos, situados a ambos lados de la pierna. Realizaremos movimientos de picoteo alternativo con una mano a cada lado y aumentando la velocidad progresivamente.

Desde esta posición no vamos a diferenciar muslo y pierna, sino que realizaremos las técnicas en continuidad desde el tobillo hasta el glúteo, pero evitando la corva, para lo que deslizaremos nuestros dedos por los laterales de la rodilla. Incluiremos el glúteo en la mayoría de los pasajes, ya que ésta es la posición donde es más fácil acceder a él para masajearle. Será imprescindible por tanto que el glúteo esté desprovisto de ropa que lo cubra.

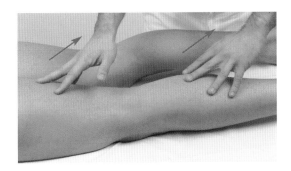

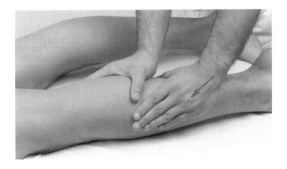

01. Pasajes sedantes magnéticos

Nos posicionamos a un lateral de la camilla, con el cuerpo girado hacia la cabeza de la persona que vamos a masajear. Peinamos toda la superficie con las puntas de los dedos, desde el glúteo hasta la planta del pie, trazando líneas verticales por el centro y los laterales de la pierna.

02. Roce superficial de vaciado

Cuando nos deslizamos por la pierna, las manos se situarán una delante de la otra y en el muslo lo harán juntas a la misma altura. Rozaremos suavemente toda la superficie cutánea desde el tobillo hasta el glúteo incluido, con las palmas abiertas y situadas en el mismo lateral de la camilla de la pierna que masajeamos. Podemos hacer el roce primero con una mano y luego con la otra, si nos resulta más cómodo.

03. Amasamiento nudillar

Esta vez los movimientos circulares serán trazados con los nudillos de los dedos flexionados, en direcciones contrarias con cada mano. Deslizaremos las manos desde la zona baja de la pierna hacia arriba, insistiendo en gemelos, isquiotibiales y glúteo, descargando eficazmente las grandes tensiones que se acumulan en estas estructuras.

04. Amasamiento digital

Los dedos largos realizarán movimientos circulares en sentidos contrarios con cada mano. Ascenderemos desde la parte baja de la pierna hasta cubrir el glúteo. Podremos avanzar con ambas manos a la vez o hacerlo alternativamente de manera que mientras una traza los círculos, la otra estira los tejidos en sentido contrario. La palma de la mano no perderá el contacto con la piel durante ninguna fase del toque.

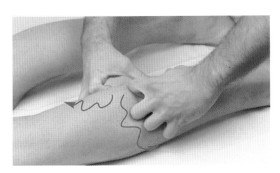

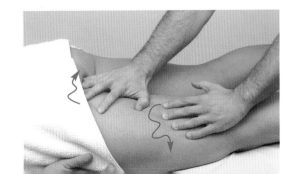

Masaje relajante de piernas

91

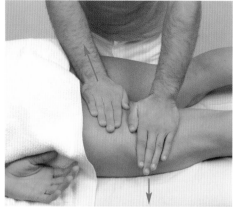

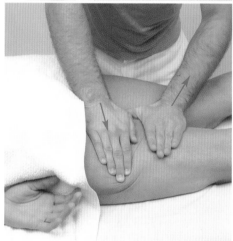

06. VIBRACIONES CON LA PALMA

Apoyaremos suavemente nuestro peso colocando una mano en el centro de la pierna y otra en el centro del muslo, ambas con las palmas abiertas. Aplicaremos una suave presión, a la vez que provocamos desde nuestros hombros una vibración intensa que se transmita por toda la pierna. Para no fatigarnos realizaremos estímulos cortos con amplios periodos de descanso. La mano que está situada en el muslo la ascenderemos hasta el glúteo y realizaremos el mismo procedimiento insistiendo más en la zona.

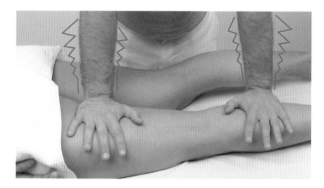

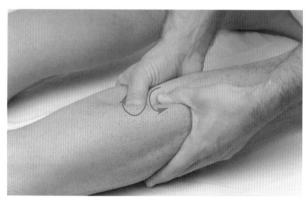

05. FRICCIONES TRANSVERSALES

Descansaremos nuestras manos con las palmas abiertas a lo ancho de las piernas, con los dedos colocados perpendicularmente al eje longitudinal. Mantendremos una ligera presión hacia la camilla, a la vez que desplazamos una mano hacia delante y la otra hacia atrás, siempre sin deslizarlas por la piel de la persona sino estirándola hasta su límite. A continuación invertiremos las direcciones de movimiento de las manos repetidamente. Lo haremos a un ritmo lento de manera que facilitaremos la movilidad de los tejidos cutáneos sobre los músculos con una suave sensación relajante. Una vez trabajada una zona, levantaremos las manos para desplazarlas unos centímetros más arriba y repetir el mismo pasaje, recorriendo así por completo la pierna desde el tobillo hacia el muslo.

07. AMASAMIENTO CON PULGAR

Las manos abrazan la pierna, dejando sólo los dedos pulgares juntos en la parte a masajear. Realizaremos círculos en sentidos opuestos, al mismo tiempo o en distintos tiempos con cada pulgar. Ascenderemos con ellos por una línea vertical imaginaria en el centro de la pierna. Cuando lleguemos al glúteo, levantando las manos de la piel, retrocederemos de nuevo al tobillo donde apoyaremos los pulgares esta vez separados unos centímetros. Poco a poco los iremos distanciando más para trazar líneas verticales más separadas que masajeen toda la pierna hasta los laterales.

08. FRICCIONES LONGITUDINALES

Al igual que en las fricciones trasversales, desplazaremos las palmas de las manos en sentidos opuestos. La diferencia es que esta vez las palmas estarán apoyadas juntas y con los dedos paralelos a lo largo de la pierna. Una mano tensará la piel hacia arriba y la otra hacia abajo a la vez, para luego invertir el sentido repetidamente en un ritmo lento y constante. Comenzaremos masajeando la pierna y luego el muslo.

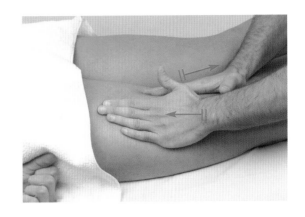

09. AMASAMIENTO DIGITOPALMAR DE PIERNA Y GLÚTEO

Colocados en el mismo lateral de la camilla pero rotando el tronco para situarnos perpendicularmente a ella, comenzaremos masajeando el gemelo para ir ascendiendo hacia el isquiotibiales y el glúteo sin tocar el hueco poplíteo. La técnica se aplicará con movimientos transversales. Con la primera mano abarcaremos toda la masa muscular que podamos con los cuatro dedos largos y la arrastraremos hacia nosotros, mientras la otra mano nos lo impide con el pulgar. Estos movimientos se repetirán cíclicamente cambiando de mano cada vez.

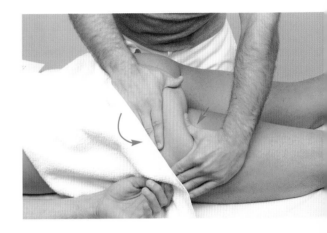

10. PERCUSIÓN CACHETE CUBITAL

El golpeteo se realizará alternativamente, en dos tiempos distintos con cada mano y aumentando progresivamente la velocidad. Mantenemos nuestra posición lateralizada de la camilla, para percutir con el borde lateral del dedo meñique de la mano, recorriendo varias veces la pierna en direcciones ascendentes y descendentes. Las manos y los dedos estarán relajados para no provocar golpes secos que pueden ser desagradables.

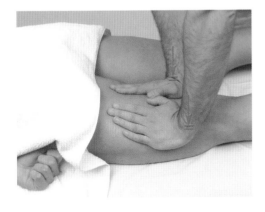

11. PRESIÓN EN ISQUIOTIBIALES CON AMBAS MANOS

Apoyaremos las palmas de las manos abiertas a los lados del muslo. Mantendremos un minuto esta posición aplicando una presión constante hacia la superficie de apoyo y con la idea de intentar separar la musculatura de ambos lados con una leve tracción.

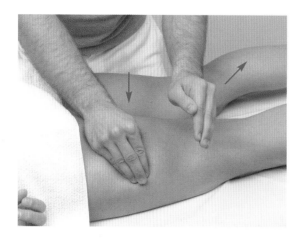

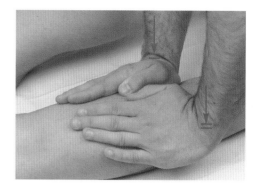

13. Presión en gemelos con ambas manos

De igual manera que la técnica anterior, presionaremos y separaremos ambos gemelos. Será conveniente dejar el pie colgando libre fuera de la camilla, para evitar que la flexión del tobillo que provocamos sea molesta.

12. Percusión palmada cóncava

La mano adoptará forma de cuenco para golpear la piel suavemente con un sonido sordo y hueco. El orden de desplazamientos y posición de la muñeca para golpear es indiferente pero no debemos olvidar zonas sin masajear. Percutiremos desplazándonos hacia arriba, hacia abajo y hacia los laterales, sin pasar por encima de la corva.

14. Estiramiento suave de cuádriceps

Desde la posición anterior continuaremos flexionando la rodilla a más de 90°, y dependiendo de la tolerancia de cada persona incluso podremos llegar a tocar el glúteo con el talón. La persona apreciará una sensación de tirantez en la cara anterior del muslo, que nunca debe llegar a convertirse en dolorosa o molesta.

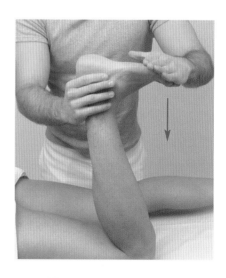

15. Estiramiento de gemelos y sóleo

Tomaremos la pierna entre nuestras manos y flexionaremos la rodilla a 90°, colocándola en posición vertical. Apoyaremos una mano en la planta del pie para realizar una presión hacia abajo en la punta, de modo que se mueve en dirección hacia la camilla. Mantendremos esta posición durante un minuto, preguntando constantemente a la persona si la sensación que percibe es agradable o molesta para adaptar la posición del pie.

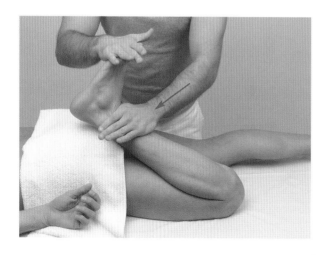

El masaje del pie más conocido es la reflexología podal que busca el tratamiento de las distintas partes del cuerpo a través de sus receptores nerviosos que se encuentran en la planta del pie. Aunque también podemos usar la reflexología como método para encontrar la relajación, existe otro tipo de masajes clásicos relajantes para el pie que aprovecha su gran sensibilidad. El pie está lleno de terminaciones sensitivas, pero por el uso de calzado no está acostumbrado a percibir estímulos externos. Es por esto que es una zona donde se producen lo que comúnmente llamamos cosquillas e incluso hay gente que no tolera que le toque los pies otra persona. Esto también ocurre durante el masaje y para evitarlo debemos realizar toques firmes y cubriendo gran superficie de piel.

La posición de la persona puede ser la de tumbado boca arriba o boca abajo con las piernas estiradas. Lo más cómodo para nosotros será lo primero, pero siempre con el tobillo por fuera de la camilla para poder masajear todo el pie. Otra posibilidad será aplicarlo boca abajo pero con la rodilla flexionada a 90° para que la plana quede libre y elevada a nuestro alcance, o también sentado.

01. ROCE SUPERFICIAL DESDE EL TALÓN AL DEDO GORDO

Rodearemos con la mano el talón del pie, adaptándonos a su forma semiesférica. Desde esta posición de partida aplicaremos un rozamiento por toda la planta hasta los dedos, finalizando en el dedo gordo, por lo que la mano tendrá que estar constantemente adaptándose a cada relieve para no perder nunca el contacto de la palma con la piel de la persona. Repetiremos varias veces el masaje en la misma dirección.

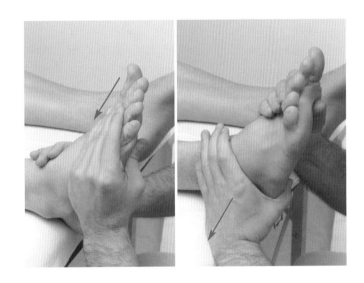

02. ROCE CON TRACCIÓN DE LOS METATARSOS

Situaremos una mano a cada lateral del pie, abarcando también la planta y el dorso. Comenzaremos con una mano deslizándose por el borde externo hasta llegar al dedo meñique, anular y corazón, de los que traccionará como si quisiésemos separarlos del resto del pie. Será después el turno de la otra mano que se deslizará por el borde interno y acabará estirando los dedos pulgar e índice. Repetiremos varias veces el pasaje alternando ambas manos por cada lateral.

03. Elongación y estiramiento de la planta

Aunque lo ideal es realizar esta técnica desde la posición de boca abajo, podremos aplicarla desde la posición que nos parezca más cómoda y que el sujeto tolere. Flexionaremos la rodilla a 90° y llevaremos la punta del pie hacia la camilla. Apoyaremos los dedos largos de ambas manos en el centro de la planta del pie y peinaremos suavemente a lo largo de toda la superficie en direcciones opuestas. De esta manera conseguiremos estirar la fascia plantar y el resto de estructuras que habitualmente están acortadas por el uso del calzado.

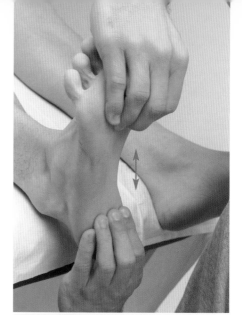

04. Amasamiento con pulgar

Abrazaremos todo el pie con ambas manos, apoyando solamente los pulgares en la planta, mientras que el resto de los dedos nos ayudan desde la parte del dorso a que el pie no se mueva mientras le masajeamos. Trazaremos líneas que recorran el pie desde el talón hasta los dedos, aplicando los movimientos circulares por toda la planta, insistiendo en las zonas con más contenido muscular, como entre los dedos. Si aplicamos el masaje en una posición que no sea tumbado boca arriba, también podemos dirigir nuestros dedos en dirección desde los dedos hacia el talón.

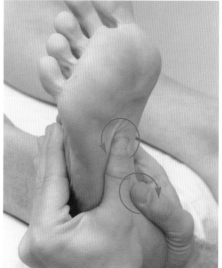

05. Presiones puntuales mantenidas

Con la misma colocación de las manos que en la técnica anterior, aplicaremos presiones suaves en diferentes puntos de mayor sobrecarga de la planta del pie, para liberar la tensión de la zona. Insistiremos en los tejidos musculares existentes entre los dedos, en la base del dedo gordo, en la punta de todos los dedos, en el talón y en ambos bordes laterales. Mantendremos la presión durante aproximadamente medio minuto con un pulgar en cada punto, pudiendo mantener el dedo apoyado fijo o aplicando un leve movimiento circular sin deslizamiento sobre la piel del sujeto.

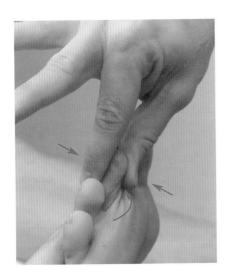
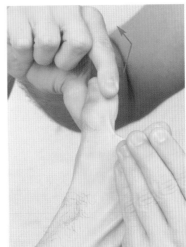

06. ROCE CON TRACCIÓN Y ROTACIÓN DE LOS DEDOS

Comenzaremos con el dedo pulgar de la persona que recibe el masaje, tomándolo desde su base por ambos laterales, haciendo pinza con nuestros dedos pulgar e índice de las manos. A continuación deslizaremos con un suave roce nuestros dedos hacia la punta, manteniéndonos en ella unos segundos presionando y traccionando como si quisiéramos separar el dedo del resto del pie. Repetiremos varias veces la técnica, introduciendo a veces movimientos de torsión al dedo a la vez que lo estiramos. Podemos rotarlo a ambos lados cada vez, o una vez a cada lado, combinando los contragiros de diferentes maneras, como ya hemos visto anteriormente. Aplicaremos el pasaje a todos los dedos desde el pulgar al índice.

07. TRACCIÓN Y SEPARACIÓN DE LOS DEDOS

Cogeremos con nuestra pinza del pulgar y del índice el dedo pulgar de la persona desde los laterales de la punta. Aplicaremos una ligera presión y tracción hacia fuera, a la vez que desplazamos lateralmente el dedo para separarlo del resto. Después iremos trabajando uno a uno cada dedo hasta llegar al meñique, lateralizándolos a cada lado.

08. AMASAMIENTO CON LA MANO EN PUÑO

Para finalizar, flexionaremos todos los dedos de nuestra mano y apoyaremos la parte más plana contra la palma. Haciendo movimientos giratorios con la muñeca, haremos rodar el puño por toda la superficie, desplazándonos en todas las direcciones posibles, hacia los dedos, hacia el talón y por los laterales.

VUELTA A LA NORMALIDAD

· La incorporación desde la posición de tumbado debe ser progresiva y lenta, como ya sabemos, pasando por la posición de sentado, para evitar posibles mareos.

· Para mantener los efectos relajantes del masaje, evitaremos hacer actividades que supongan un gran esfuerzo inmediatamente después. Es difícil no activar la musculatura de las piernas, pero será recomendable posponer unas horas el hacer deporte, correr, montar en bicicleta o caminar largo tiempo.

07 MASAJE RELAJANTE DE CARA Y CABEZA

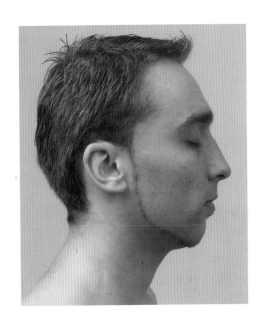

VAMOS A ANALIZAR LAS TÉCNICAS DEL MASAJE DE CARA, CABEZA, CUERO CABELLUDO Y PELO. PARA ELLO DEBEMOS CONOCER BIEN LAS REGIONES DE LA CABEZA, QUE SON LAS SIGUIENTES: TEMPORAL, PARIETAL, FRONTAL, MAXILAR, ZIGOMÁTICO, MANDIBULAR, OCCIPITAL Y HUESO NASAL. ESTE TIPO DE MASAJE SE HARÁ DESDE LA ZONA ALTA DE LA CAMILLA, ES DECIR, SITUÁNDOSE EN EL CABECERO Y MIRANDO HACIA LOS PIES DE LA PERSONA.

Existen diferentes puntos de vista en las direcciones del masaje de la cara, según los efectos que se pretendan conseguir. Los masajes estéticos pretenden luchar contra los efectos de la edad y la gravedad, por lo que todos los pasajes se realizarán en dirección de abajo hacia arriba y desde dentro hacia fuera, hacia los laterales con el fin de estirar la piel y la musculatura.

Otro tipo de masajes son los que pretenden activar la contracción de la musculatura, aumentando la expresividad y aumentando para ello incluso los surcos y las arrugas de algunas zonas de la cara. Su uso principalmente se reduce a personas que han sufrido algún tipo de problema neurológico como parálisis faciales o niños con lesiones cerebrales.

Por otro lado, el masaje relajante pretende reducir el estrés y provocar sensaciones de bienestar a la persona que lo recibe, a través de la sensibilidad táctil que disminuye la tensión muscular. La dirección con que las manos deben aplicar la fuerza es paralela y perpendicularmente a las fibras musculares que conforman cada zona.

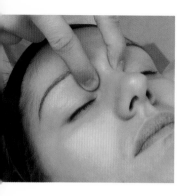

La dirección con que las manos deben aplicar la fuerza es de forma paralela y perpendicular a las fibras musculares que conforman cada zona.

En la frente, seguiremos líneas paralelas a las cejas, en ambos sentidos. En el entrecejo desplazaremos la piel hacia arriba. Alrededor de los ojos los movimientos serán circulares y en los laterales de la nariz siempre nos desplazaremos hacia arriba o hacia abajo. Alrededor de los labios habitualmente masajeamos desde el centro hacia los laterales y en los carrillos hacia el centro o hacia los laterales.

PRECAUCIONES Y RECOMENDACIONES ESPECIALES

Es evidente que la cara es una zona donde la presión de las manos no puede ser fuerte. La musculatura que compone la mímica facial no es muy potente, ya que no tiene que mover fuertes articulaciones, sino desplazar diferentes zonas cutáneas. Está compuesta por músculos de pequeño tamaño que unen los huesos del cráneo a la piel. La presión debe ser todavía menor en la región de los ojos, por las posibles lesiones visuales, y nunca debemos percutir en ellos.

Los ojos y los labios permanecerán cerrados durante todo el masaje para evitar introducir los dedos en el globo ocular o en la boca por descuido. Recordaremos a la persona que va a recibir el masaje facial que debe quitarse las gafas, lentillas y aparatos de ortodoncia.

La contraindicación más habitual de los masajes faciales son las alteraciones cutáneas como el acné, donde aplicar un masaje puede provocar incluso su diseminación.

En los masajes relajantes de la cara es más habitual usar como lubricante cremas faciales hidratantes. El contenido graso dependerá del tipo de piel que tenga la persona: seca, mixta o grasa. Por otro lado, las percusiones son poco habituales en esta zona, solamente aplicaremos tecleteos en las regiones en las que el hueso subyacente esté protegido por alguna clase de tejido blando, ya sea muscular o adiposo.

POSICIONES MÁS ADECUADAS

En el caso de los adultos la posición más cómoda es situarse tumbado boca arriba en una camilla o mesa. Es fundamental que el cuello y la cabeza descansen en una superficie estable, para que la persona pueda relajarse y confiarnos su cuerpo.

La persona que va a aplicar el masaje lo hará desde la zona alta de la camilla, es decir situándose en el cabecero y mirando hacia los pies de la persona. Trabajaremos por tanto la cara situándola al revés de su posición habitual. Podremos permanecer sentados o de pie durante prácticamente todo el masaje, debido a que la cara es una pequeña superficie que no requiere desplazamientos.

Los niños pequeños se situarán en nuestro regazo o en una pequeña silla, apoyados de frente a nosotros, para mantener el contacto visual durante todo el masaje.

Comenzaremos el masaje desde la frente y descenderemos hasta el cuello por toda la cara. No debemos olvidar frotarnos previamente las manos para evitar que estén frías.

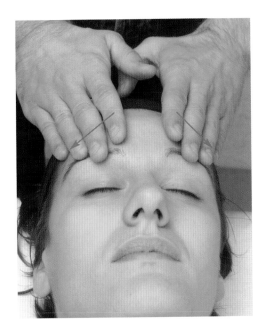

01. APOYO ESTÁTICO DE LAS MANOS EN LA FRENTE

La toma de contacto con la piel de la persona es mejor hacerla con una presión mantenida, sin deslizarnos, para que sea progresivo. Situaremos nuestras manos de manera que el inicio de las mismas se junte en el centro de la frente, los pulgares caigan a los laterales de la nariz y los dedos largos lleguen hasta las sienes. Mantendremos el apoyo sin presión unos segundos.

02. ROCE DE LA FRENTE DESDE EL CENTRO HACIA LOS LATERALES

Apoyaremos los dedos largos de ambas manos en la frente, juntos y perpendicularmente a las cejas. Desde el centro haremos un rozamiento hacia los laterales, separando ambas manos hasta las sienes. Provocaremos un estiramiento y una tracción de toda la musculatura frontal sin presionar.

03. ROCE CON LOS PULGARES

La yema de un pulgar descansa sobre la sien del mismo lado. Con un suave rozamiento, recorreremos toda la frente hasta la sien del lateral contrario, siguiendo la línea del nacimiento del pelo, y regresaremos por el mismo camino. A continuación el pulgar contrario realizará el recorrido opuesto, trazando una línea paralela a la anterior, pero un poco más abajo. De esta manera, iremos alternando ambos pulgares hasta cubrir toda la frente hasta las cejas.

04. PRESIÓN ESTÁTICA Y CÍRCULOS FIJOS EN LAS SIENES

Situaremos los dedos largos de cada mano en ambas sienes. Aplicaremos una ligera presión durante unos segundos para a continuación realizar diez movimientos circulares en el sentido de las agujas del reloj con ambas manos al mismo tiempo. Se trata de un masaje de fricción, por lo que no habrá desplazamiento de nuestros dedos sobre la piel del sujeto. Sin perder el contacto, realizaremos otros diez movimientos circulares en la dirección opuesta, siempre desplazando la piel por encima de los tejidos subyacentes, según nos permita su elasticidad.

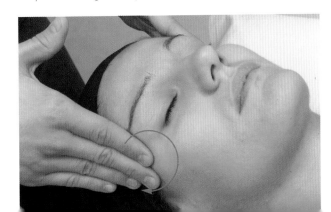

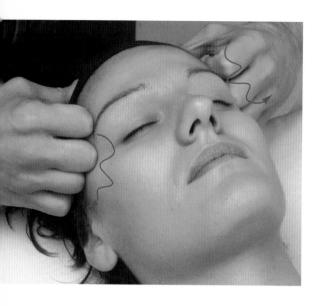

05. AMASAMIENTO NUDILLAR EN LAS SIENES

A pesar de tratarse de un amasamiento nudillar, no debemos utilizar toda la presión, sino aprovechar la agradable sensación que provocan los relieves redondeados de los nudillos de los dedos largos flexionados. Aplicaremos movimientos circulares con ambas manos a la vez en ambas sienes.

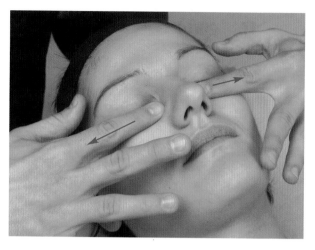

06. ROCE POR EL CONTORNO INFERIOR DE LOS OJOS

La zona inferior del ojo tiene un gran contenido de tejido adiposo muy vascularizado y es lo que se conoce comúnmente como la zona de las ojeras o las bolsas. Apoyaremos nuestros dedos índice sin presionar a ambos lados de la nariz y nos desplazaremos con un suave rozamiento hasta los laterales bordeando todo el ojo con mucha precaución. Repetiremos varias veces este pasaje, solamente en esta dirección, por lo que perderemos el contacto para regresar al punto de partida cada vez.

07. ROCES CIRCULARES EN EL CONTORNO DE LOS OJOS

El dedo índice será el encargado de recorrer con un suave roce el músculo orbicular de los ojos. Primero se deslizará varias veces la yema del dedo en el sentido de las agujas del reloj y después en el sentido contrario.

08. ROCE CON PULGARES EN LOS PÁRPADOS

Debemos ser especialmente cuidadosos en este pasaje, ya que la presión ejercida debe ser mínima. Rozaremos con los pulgares por la piel de ambos párpados a la vez, describiendo un movimiento desde la nariz hacia fuera. Al llegar a los laterales, estiraremos suavemente del párpado.

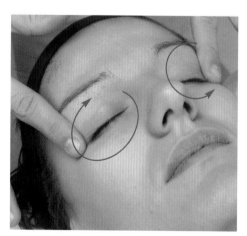

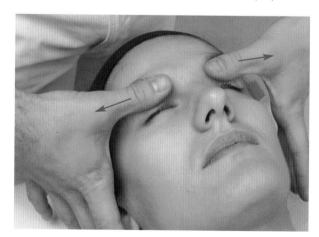

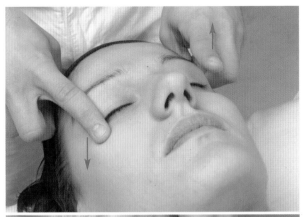

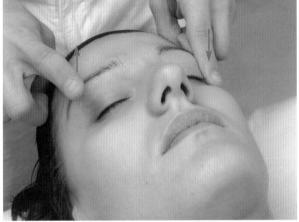

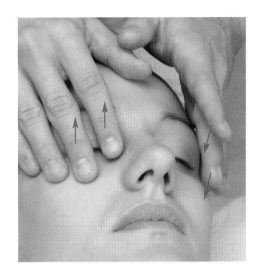

09. Percusiones con los dedos índices en el contorno de los ojos

Desplazaremos el dedo índice de cada mano por todo el contorno de los ojos, comenzando en la parte interna, después en la inferior y por último en la parte superior. Aplicaremos en todo el recorrido suaves apoyos, que provoquen un masaje de percusión. Después de varias repeticiones, lo haremos de nuevo.

10. Tecleteos en el contorno inferior de los ojos

Situaremos todos los dedos largos cubriendo la zona inferior del ojo. A continuación percutiremos alternativamente con todos los dedos comenzando con el meñique y acabando en el índice, en cada uno de los ojos. Repetiremos el pasaje varias veces siempre comenzando desde el mismo dedo. Las percusiones en esta zona deben ser muy suaves, solamente el apoyo de los dedos será suficiente, ya que es una zona muy frágil. Si al principio nos resulta difícil coordinar todos nuestros dedos de forma delicada, podemos comenzar percutiendo únicamente con el dedo meñique de cada mano, recorriendo el borde inferior desde dentro hacia fuera y viceversa.

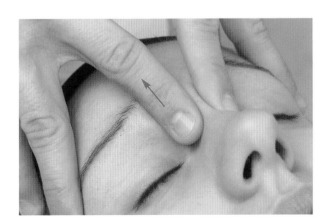

11. Roces en el músculo piramidal

El músculo piramidal se encuentra situado debajo de la región cutánea situada entre las dos cejas. Alternando en dos tiempos nuestros dedos índices, realizaremos un rozamiento desde el inicio de la nariz hacia arriba, estirando toda la zona.

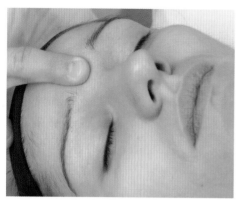

12. Presión fija en el entrecejo

Mediante el dedo índice de nuestra mano dominante, aplicaremos una presión firme y constante en la zona que comúnmente se conoce como entrecejo. Siempre presionaremos con la yema del dedo ya que está cubierta de tejidos blandos y no tiene relieves óseos que puedan resultar incómodos, como la zona de la punta. Mantendremos el apoyo durante un minuto aproximadamente.

13. Pellizcos en la zona alta de la nariz

Haciendo pinza con los dedos índices y pulgares de ambas manos, pellizcaremos la piel de la zona alta de la nariz. Traccionaremos lentamente del tejido cutáneo, masajeándolo como si quisiésemos despegarlo del hueso subyacente. Una vez finalizado el estiramiento con una mano, será el turno de la otra, alternándose durante varias repeticiones.

14. Presión fija en la zona baja de las cejas con el índice

Colocaremos los dedos índices en la zona ósea donde se unen las cejas y la nariz. Mantendremos durante unos segundos una presión hacia arriba en el hueso situado inmediatamente debajo de la ceja, provocando una potente sensación de descongestión. Posteriormente deslizaremos los dedos rozando la piel situada debajo de la ceja y por encima del párpado, desde dentro hacia cada lateral. Repetiremos varias veces el mismo movimiento.

15. Presión fija en la zona baja de las cejas

Palparemos el reborde óseo que se encuentra inmediatamente debajo de las cejas y lo delimitaremos bien, cubriéndolo con todos nuestros dedos largos desde su parte inferior, cercana al párpado. Cada mano abarcará uno de los ojos y una vez fijados todos los dedos, aplicaremos una pequeña presión en dirección hacia arriba con todos a la vez. Mantendremos el estímulo durante un minuto aproximadamente. La presión en esta zona no es dolorosa, sino que provoca una sensación descongestionante. Si la persona que está recibiendo el masaje nos transmite una sensación dolorosa o molesta, debemos reducir la fuerza que estamos aplicando o modificar la posición de las manos porque no es la correcta.

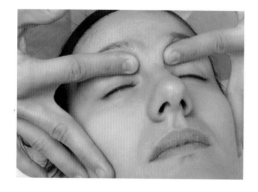

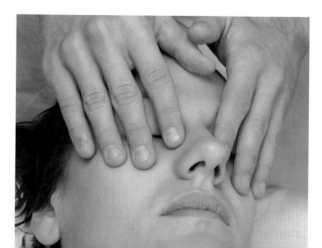

16. Pellizcos en la barbilla con ambas manos

La pinza para realizar los pellizcos la realizan los dedos pulgares, por encima de la barbilla, y los dedos índices por debajo del mentón. Primero comenzará una mano traccionando suavemente los tejidos musculares y cutáneos de la barbilla, como si quisiésemos hacerla más puntiaguda. Cuando los tejidos vuelven a su posición inicial al dejar de aplicar la fuerza, será el turno de la otra mano. Este masaje de pellizco es más lento de lo habitual en este tipo de técnicas. Notaremos cuándo la persona alcanza una buena relajación porque nos confiará su mandíbula, que acompañará el movimiento de nuestros dedos.

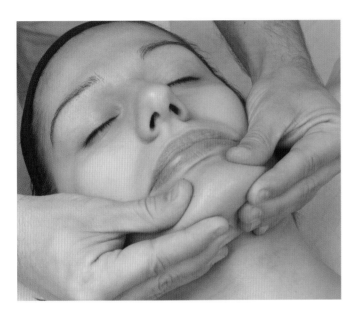

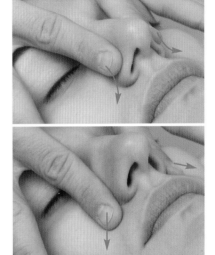

17. Roce de la región mandibular

Con este masaje pretendemos abarcar toda la zona formada por el hueso móvil de la mandíbula, desde su articulación, próxima al pabellón auricular, hasta el mentón. También relajaremos su zona más baja y cercana a la cara anterior del cuello, conocida comúnmente como papada. Utilizaremos para ello toda la palma de la mano, deslizando primero una mano por un lateral y luego la otra en su lado correspondiente. Comenzaremos por la rama más lateral de hueso para después ir descendiendo hasta la zona de la boca, donde el dedo pulgar se situará en la barbilla y el resto de la mano y los dedos largos alcanzarán la zona de tejido blando de la papada. Sin perder el contacto con la piel de la persona, recorreremos el camino en el sentido inverso, mientras que la mano contraria comienza a descender por su lateral.

18. Roces en los laterales de la nariz

Con cada uno de los dedos índices situados en un lateral de la nariz, realizaremos deslizamientos desde la zona alta hasta las aletas de la nariz. Rozaremos ambos lados al mismo tiempo, recorriendo paralelamente la piel de ambos lados. Al principio, para realizar esta técnica nos resulta más cómodo situarnos en un lateral de la camilla, de frente a la persona a la que le estamos aplicando el masaje relajante de cara. La experiencia nos facilitará aplicarlo desde la cabecera.

19. ROCE CON TRACCIÓN DEL MÚSCULO ORBICULAR DE LOS LABIOS

Podemos comenzar esta técnica desde dos posiciones, según nos resulte más cómodo trabajar. Apoyaremos ambos dedos índices en el labio inferior y pulgares en el labio superior o usando los dedos corazones para el labio inferior y los índices en el labio superior. Una vez aplicados suavemente sobre la piel, realizaremos un masaje de roce en dirección a cada una de las comisuras de los labios, provocando a la vez una tracción y estiramiento de todo el músculo. Repetiremos varias veces el movimiento de forma lenta y siempre en la misma dirección.

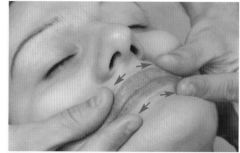

20. APERTURA Y CIERRE DE LA MANDÍBULA PARA COMPROBAR LA RELAJACIÓN

Tomaremos la mandíbula entre nuestras manos, pidiéndole a la persona que está recibiendo el masaje que nos la confíe y que no nos ayude a realizar los movimientos. Ascenderemos y descenderemos en un suave movimiento de balanceo que permita abrir y cerrar la boca sin resistencia. Esto nos servirá de señal para percibir que la musculatura responsable ha reducido su tensión de reposo. Es habitual tener que repetir varias veces el ejercicio, porque las personas tendemos a acompañar el movimiento que nos provocan otros con nuestros músculos, en vez de «dejarnos llevar».

21. TRACCIÓN Y ESTIRAMIENTO DE LA BARBILLA

Las manos realizarán un movimiento simultáneo, pero en sentidos opuestos, a diferencia de otras técnicas. Situaremos nuestros dedos pulgares e índices en la pinza habitual de esta zona, como ya hemos visto anteriormente. Mediante el desplazamiento lento de las manos recorriendo el borde mandibular, traccionaremos y estiraremos suavemente los tejidos de la zona. Con los demás dedos largos y las palmas de la mano también estiraremos la zona de la papada.

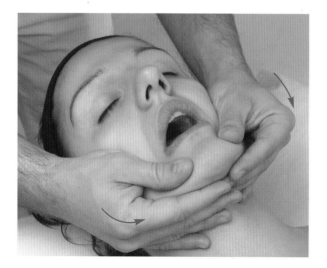

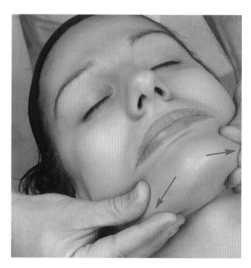

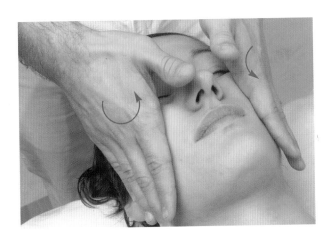

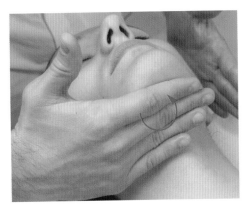

22. Círculos fijos en las mejillas

Apoyaremos sin presionar toda la superficie de la mano, cubriendo los pómulos y las mejillas. Un suave cizallamiento circular que no permita el deslizamiento de las manos por la piel masajeará la zona. El movimiento será prácticamente imperceptible a la vista, pero la persona lo sentirá como una agradable caricia que le ayuda a eliminar las tensiones. Ambas manos masajearán al mismo tiempo, dibujando círculos opuestos durante unos segundos, siempre en la misma dirección hacia arriba y hacia nosotros.

23. Círculos fijos en la papada

Repetiremos los movimientos circulares del pasaje anterior, pero esta vez con las manos apoyadas sobre la zona baja del mentón, próxima al cuello. Debemos prestar especial atención para no tocar la zona próxima a la nuez, donde puede resultar molesta la manipulación. Los círculos se aplicarán suavemente a modo de bombeo circulatorio, con ambas manos a la vez y manteniendo siempre la misma dirección hacia arriba hacia nosotros.

24. Tecleteos recorriendo toda la cara

Ambas manos nos servirán para desplazarnos aleatoriamente por todo el rostro de la persona, a modo de piano. Apoyaremos suavemente los dedos largos en todas las direcciones posibles, siempre comenzando desde el meñique al índice cada vez. Evitaremos percutir en la zona de los ojos, como única precaución.

25. Presión estática en los ojos

Muy cuidadosamente apoyaremos los talones de nuestras manos sobre ambos ojos, sin apenas presionar. El resto de la mano y dedos descansarán relajadamente más abajo. Mantendremos el contacto durante medio minuto aproximadamente y conseguiremos disminuir los estímulos luminosos sobre las retinas de la persona y que alcance un estado de aislamiento interno sosegado.

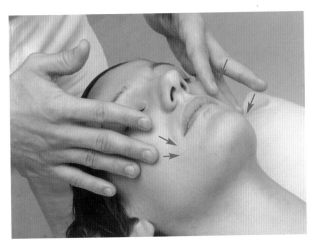

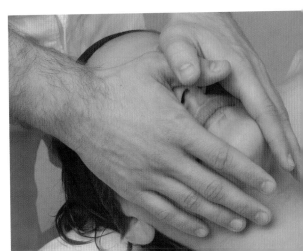

26. Presión estática cubriendo toda la cara previa fricción de manos para dar calor

Para finalizar, evitaremos una pérdida de contacto excesivamente violenta. Frotaremos previamente nuestras manos entre sí con el objetivo de aumentar la temperatura de la piel. Con toda la superficie de nuestras manos, intentaremos cubrir por completo la piel del rostro, apoyándonos suavemente sin presionar. Solamente dejaremos al descubierto la nariz, para poder respirar cómodamente durante el minuto que dure el contacto. Cuando retiremos las manos, la persona sentirá un agradable frescor que despejará su mente y le devolverá la energía necesaria para continuar con sus actividades cotidianas.

B. MASAJE RELAJANTE DE CABEZA, CUERO CABELLUDO Y PELO

Para aplicar un masaje relajante de cabeza, cuero cabelludo y pelo, no es habitual el uso de aceites ni otro tipo de lubricantes, pero se pueden utilizar para amplificar y buscar nuevas sensaciones relajantes.

La persona que recibe el masaje se encontrará tumbada boca arriba y con la cabeza relajada sobre la superficie de apoyo. Durante la sesión será necesario que la cabeza pierda el contacto con la camilla, para poder masajear la zona posterior de la cabeza, y nunca pediremos a la persona que levante la cabeza activamente. Seremos nosotros los responsables de manipular la cabeza entre nuestras manos lenta y firmemente, para que la persona pueda relajarse y confiarnos su cuerpo. De esta manera conseguiremos obtener un efecto relajante en toda la musculatura del cuello, que influirá positivamente en la eliminación de tensiones en la zona del cráneo.

Para sostener la cabeza mientras manipulamos estas zonas con las manos, podemos usar nuestro abdomen, o dejar parte de la cabeza fuera del plano de apoyo. Lo que nunca debemos hacer es colocar un rodillo o toalla en la región del cuello para que eleve la cabeza, aumentando la curva cervical y la extensión de la cabeza, ya que podría provocar efectos nefastos en las personas que sufren problemas de espalda o vértigos.

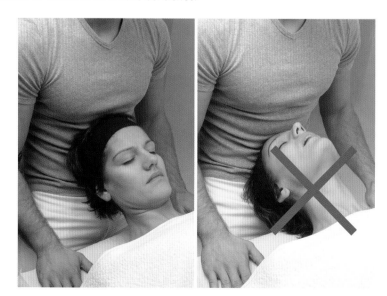

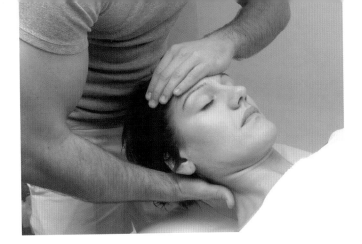

01. ROCE CON LAS PALMAS DESDE LAS SIENES HACIA ATRÁS

Las palmas quedarán apoyadas suavemente sobre ambos laterales de la frente. Presionaremos durante breves segundos para después deslizarnos suavemente hacia atrás por cada lateral de la cabeza. Masajearemos la cabeza abarcando toda la superficie posible con las palmas de las manos, sin incluir las orejas. Cuando lleguemos prácticamente a la zona posterior de la cabeza, regresaremos hasta la posición inicial por el mismo recorrido y sin perder el contacto con la piel y el cabello de la persona a la que estamos masajeando. Repetiremos varias veces y muy lentamente la misma secuencia.

02. APOYO ESTÁTICO EN LA FRENTE Y EN LA NUCA

Comenzaremos este nuevo contacto tomando la cabeza entre nuestras manos, una desde la frente y la otra elevándola de la camilla desde la nuca. Mantendremos medio minuto aproximadamente esta posición, presionando levemente en ambos puntos, y pidiendo verbalmente a la persona con voz calmada que intente relajarse poco a poco, concentrándose en que la cabeza pesa cada vez más y necesita ayuda para sostenerla, confiándola a nuestras manos. A continuación reposaremos la cabeza sobre la camilla, descendiéndola muy lentamente, casi sin que la persona pueda percibir el movimiento, de manera que se prolongue el efecto relajante.

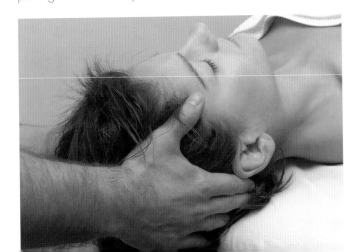

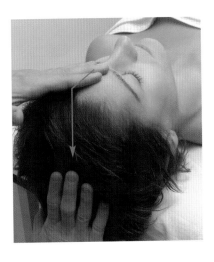

03. ROCE ALTERNATIVO DE LAS MANOS

Apoyaremos una mano en la frente y desde ella nos deslizaremos con la palma firme y los dedos juntos hacia la zona occipital. Masajearemos lentamente toda la línea central de la cabeza. A continuación apoyaremos la otra mano en la frente para iniciar el mismo recorrido, pero esta vez trazando una línea paralela a la anterior, que cubra los laterales. Repitiendo esta secuencia alternativa de las manos, abarcaremos todo el cráneo, sin entrecruzar los dedos entre los cabellos, para que el masaje sea por encima de ellos.

04. ROCE DE LA ZONA TEMPORAL

Cada uno de nuestros dedos índices se situará por detrás de los pabellones auriculares. Masajearemos toda la piel de la zona, tanto de la cabeza como del cartílago de la oreja, mediante los deslizamientos hacia delante y hacia atrás o circulares de los dedos. Moveremos ambos dedos al mismo tiempo y a un ritmo lento, recorriendo el máximo espacio que podamos.

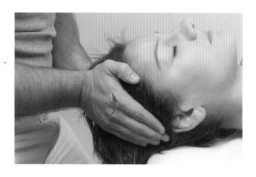

05. Círculos fijos en la zona parietal

Abriremos bien nuestras palmas de las manos, para apoyar la mayor superficie posible en la zona parietal, a ambos lados de la parte superior del cráneo. El movimiento que aplicaremos será de fricción y no permitiremos el deslizamiento de la manos, sino que percibiremos cómo los tejidos blandos se cizallan con los huesos del cráneo. Ésta es una de las zonas corporales donde mejor se aprecia este efecto, debido a que la piel permite un recorrido más amplio de lo habitual. Los movimientos circulares se aplicarán primero en un sentido durante varias repeticiones y luego en el sentido inverso.

06. Roces de las orejas con tecleteo de los dedos largos

A continuación masajearemos la parte posterior del pabellón auricular, desde su nacimiento en el cráneo hasta el borde. Utilizaremos para ello los cuatro dedos largos, que se deslizarán masajeando toda la zona, mediante el roce con las yemas y pequeños tecleteos. Cada mano masajeará al mismo tiempo una oreja. Existen personas a las que este tipo de masajes en la zona provocan «cosquillas» que les impiden relajarse. Si éste es el caso de la persona a la que estamos aplicando el masaje, es mejor no intentar que lo tolere y pasar a la siguiente técnica.

07. Círculos fijos en los lóbulos de las orejas

Aplicaremos una suave pinza para abarcar los lóbulos de las orejas, quedando los dedos pulgares por la parte de delante y los dedos índices por detrás. Comenzaremos con una suave presión estática mantenida durante unos 30 segundos. Realizaremos movimientos circulares con los dedos pulgares en el sentido de las agujas del reloj. En un primer momento serán en forma de masaje de fricción, sólo desplazando el dedo lo que la elasticidad de la piel nos permita, para después aplicar un rozamiento que deslice nuestros dedos por la piel de la persona. El resto de la mano descansará en la parte posterior del pabellón auricular, para evitar tapar en todo momento el conducto auditivo.

08. Roce del cartílago auricular

Con la misma pinza del movimiento anterior, entre los dedos pulgares y los dedos índices, comenzamos el rozamiento con una mano en cada oreja al mismo tiempo. Empezamos desde el lóbulo de la oreja, ascendemos por el lateral de la aurícula y traccionamos hacia arriba en la punta durante algunos segundos antes de soltar. Repetiremos varias veces la misma rutina siempre en la misma dirección, perdiendo para ello el contacto con la piel de la persona al regresar al punto de partida. La fuerza que aplicamos será moderada, sin desplazar en exceso las orejas.

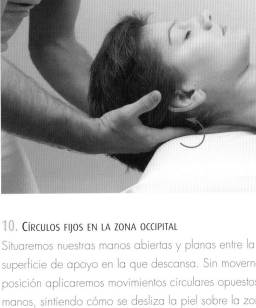

09. Presión en la zona occipital

Alinearemos las puntas de los dedos largos de ambas manos para colocarlos en la zona occipital, cercana a la parte posterior del cuello. Elevaremos la cabeza de la camilla apoyándola en nuestro abdomen y sin hacer excesiva presión con los dedos, dejaremos descansar a continuación la cabeza sobre ellos por su propio peso. Debemos poner especial atención para no situar nuestros dedos erróneamente sobre la columna cervical, ya que podría resultar problemático en personas con afectación de la zona. Para ello debemos palpar con nuestros dedos el inconfundible hueso plano y liso occipital.

Mantendremos la posición durante un minuto, siempre que la persona perciba una agradable sensación de descarga tensional y nunca dolor o molestias.

10. Círculos fijos en la zona occipital

Situaremos nuestras manos abiertas y planas entre la cabeza y la superficie de apoyo en la que descansa. Sin movernos de esta posición aplicaremos movimientos circulares opuestos con ambas manos, sintiendo cómo se desliza la piel sobre la zona occipital, gracias a sus propiedades elásticas. Cuando repitamos varias veces el movimiento, invertiremos el sentido de los círculos.

11. Estiramiento de la zona cervical

Tomaremos la cabeza por su parte posterior elevándola de la superficie de apoyo mediante nuestras manos, colocadas una sobre la otra. Realizando una pequeña tracción en dirección para alejar la cabeza del cuerpo, conseguiremos un estiramiento de la zona cervical, en profunda relación con el cráneo. No debemos agarrar la cabeza, sino apoyarla en nuestras manos abiertas por su propio peso y traccionar de ella solamente lo que nos permita sin que haya deslizamiento. Prestaremos especial cuidado en que la barbilla no se eleve, sino que permanezca siempre cercana al pecho, para no dañar la zona cervical de la columna vertebral.

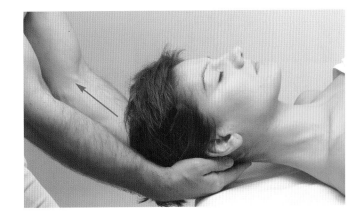

EL CUERO CABELLUDO

En la zona superior de la cabeza, los tejidos que cubren los pequeños músculos se unen muy estrechamente al tejido adiposo y cutáneo que tienen encimas. Es por esta razón que el músculo, la grasa y la piel forman en esta zona una sola capa superficial y muy compacta conocida como cuero cabelludo. Sin embargo, su fijación a los huesos del cráneo es mínima, pudiendo comprobarse con facilidad al palparla mediante el masaje. Esta superficie contiene un amplio número de terminaciones nerviosas. También la capa que recubre el hueso, conocida como periostio, tiene una rica variedad de ellas. Debido a estas peculiares características de la zona, mediante el masaje conseguimos estimularlas muy eficazmente, enviando al cerebro sensaciones que ayudarán a conseguir la relajación y disminuir las tensiones.

Existen en el mercado cepillos con diferentes formas y rigidez de sus cerdas. Si disponemos de una variedad de estos cepillos serán muy útiles para alcanzar la zona cutánea del nacimiento del pelo. En caso contrario podemos masajear esta zona con los siguientes pasajes manuales.

01. AMASAMIENTO DIGITAL DEL CUERO CABELLUDO

Para realizar correctamente esta técnica, debemos imaginar que estamos lavando la raíz del cabello de la persona. Aplicaremos movimientos circulares con todos los dedos de ambas manos a la vez. Debemos alcanzar con las yemas de los dedos la zona del nacimiento del pelo y mantenernos fijos para aplicar el masaje. Si por el contrario nos desplazamos mientras dibujamos los círculos, otros cabellos se interpondrán haciendo imposible el contacto con la piel. Una vez finalicemos con una zona, moveremos nuestras manos de manera aleatoria para cubrir las demás regiones de la cabeza.

02. SEPARACIÓN DEL NACIMIENTO PILOSO

Usaremos ambos dedos índices para aplicar esta técnica, alcanzando con ellos la raíz de cada zona de cabello. Ejerceremos una suave tracción en la piel, separando varios nacimientos. Haciendo pinza con los dedos pulgares, separaremos también los diferentes ramilletes de pelo que vamos formando. Aplicaremos esta técnica en diferentes puntos elegidos al azar, recorriendo toda la superficie de la cabeza.

03. AMASAMIENTO NUDILLAR DEL CUERO CABELLUDO

A pesar del uso de los nudillos de los dedos largos flexionados, la aplicación de la presión es prácticamente nula. A diferencia del ejercicio anterior, el cuero cabelludo será masajeado por los nudillos a través del cabello. Realizaremos movimientos circulares a la vez que nos desplazamos directamente sobre el pelo, sin apartarlo para alcanzar la piel. Será el propio movimiento del pelo el que se transmita a la raíz y consiga masajear el cuero cabelludo. Utilizaremos ambas manos al mismo tiempo, desplazándolas sin orden establecido por toda la cabeza.

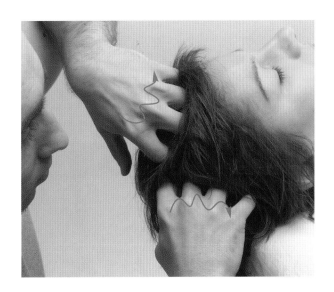

EL PELO

El masaje del pelo será evidentemente más efectivo en cabellos largos. La situación ideal para aplicarlo será con la cabeza apoyada en la camilla solamente por su parte inferior u occipital, dejando caer el pelo libre por detrás. La cabeza debe permanecer relajada y nunca en una posición forzada, con el cuello extendido hacia atrás o tensando la musculatura del cuello para que se sostenga.

Para masajear el pelo podemos utilizar peines y cepillos con diferentes grosores entre sus púas o cerdas. Los diferentes modelos con formas redondeadas o planas se deslizarán lentamente desde la raíz hasta las puntas. Después del cepillado, aplicaremos las técnicas manuales descritas a continuación.

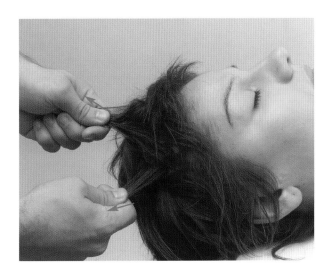

01. TRACCIONAR DEL PELO RECOGIDO EN RAMILLETES

Tomaremos pequeños ramilletes de pelo haciendo pinza entre nuestros dedos índice y pulgar de cada mano. Comenzando desde la raíz, nos deslizaremos a lo largo de todo el cabello, aplicando una suave tracción como si quisiésemos separar el pelo de su nacimiento. Nunca tiraremos con las dos manos a la vez, sino que las alternaremos en dos tiempos, primero una y luego la otra. Conseguiremos masajear el pelo, y con su movimiento, también el cuero cabelludo.

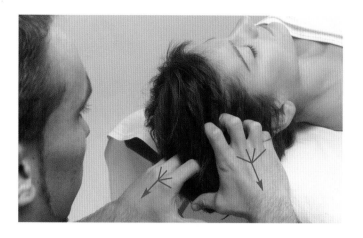

02. PLISAR EL PELO

El pelo deberá quedar libre y colgando fuera de la camilla. Con las palmas de nuestras manos juntas, prensaremos una pequeña cantidad en la zona alta y nos deslizaremos hasta las puntas como si quisiéramos alisarlo. Nos desplazaremos hasta que desaparezca de entre nuestras manos. Seguiremos siempre la dirección hacia abajo de la «cortina» formada por la gravedad, repitiendo varias veces el movimiento hasta abarcar todo el cabello.

03. PEINAR EL PELO ENTRE NUESTROS DEDOS LARGOS

Nuestros dedos largos se flexionarán y separarán para formar un pequeño peine. Comenzando desde la raíz, se entrecruzarán con el pelo para masajearlo por toda su longitud. Alternaremos las manos para no perder nunca el contacto, de manera que cuando una está ya descendiendo, la otra comienza a masajear desde el cuero cabelludo. Debemos respetar en todo momento la dirección de nacimiento del pelo, por lo que peinaremos con la palma hacia abajo cuando nos encontremos en la zona anterior de la cabeza y con la palma hacia arriba y la mano invertida cuando masajeamos desde la región posterior. Esta técnica es más agradable si incluimos también la zona de la nuca, por lo que podemos elevar la cabeza de la superficie de apoyo con una mano, mientras la otra se ocupa del masaje.

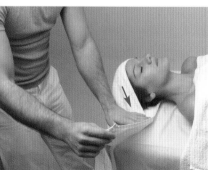
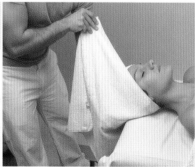
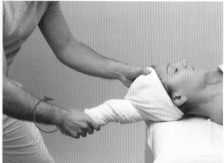

04. TRACCIÓN Y TORSIÓN DEL PELO CON UNA TOALLA

Cubriremos todo el pelo, incluyendo la frente y la nuca con una toalla. Comenzaremos a retorcerla desde el extremo de las puntas, siempre en la misma dirección, hasta conseguir que todo el cabello girado traccione ligeramente del cuero cabelludo. Mantendremos durante un minuto la posición sin aumentar la rotación cuando se produzcan molestias por «tirones del pelo».

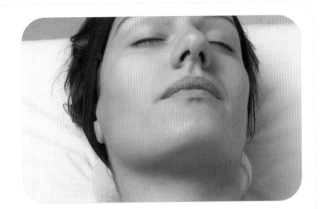

Apoyo y reposo cervico-occipital: tomaremos una pequeña toalla y la enrollaremos en forma de cilindro para conseguir un rodillo cómodo. Lo colocaremos en la línea posterior del nacimiento del pelo, situada a la altura de la unión de la zona occipital con la columna vertebral. Indicaremos a la persona que repose la cabeza, apoyándola durante 5 minutos. Debemos ser precavidos para, como ya sabemos, no situar el rodillo sobre la zona cervical por las posibles consecuencias negativas que puede conllevar. Para asegurarnos de que está bien situado, observaremos que la barbilla permanece cercana al pecho y que la cabeza no está extendida, indicando a la persona que no deje de «mirar» sus pies.

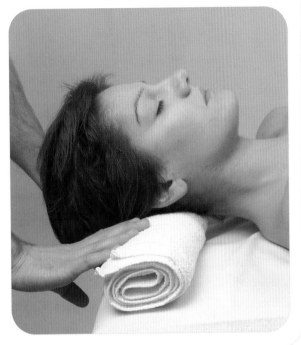

VUELTA A LA NORMALIDAD

· La regla de la incorporación progresiva explicada en todos los masajes se aplica aquí de manera más estricta. Las sensaciones de mareo y vértigo son muy frecuentes después de masajear la zona de la cabeza y cervicales, si hay cambio brusco desde la posición de tumbado a la de pie. La tensión arterial necesita mayor tiempo de adaptación para evitar que el flujo de sangre que llega a la cabeza se vea disminuido. Este hecho, junto el nuevo ajuste de posición del sistema vestibular del equilibrio situado en el oído interno, son los responsables de estás sensaciones tan desagradables.

· Al regreso a la actividad normal se percibirá mayor relax, descongestión, despeje mental y aumento de la energía.

08 EL AUTOMASAJE RELAJANTE

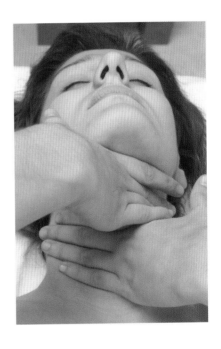

En la naturaleza observamos algunos ejemplos de los autocuidados del cuerpo que realizan los animales de forma cotidiana. Los perros lamen sus heridas para favorecer su recuperación e higiene, los osos frotan su piel y pelo contra la corteza de los árboles y los patos recubren con sustancias oleosas sus plumas para aislarlas mejor del agua mediante su pico.

En la especie humana este tipo de autocuidados han evolucionado en mayor grado, alcanzando no solamente las necesidades básicas de supervivencia, sino buscando insistentemente el camino de una mejor calidad de vida y bienestar.

El aumento del culto al cuerpo en nuestra sociedad nos ha hecho conocernos y explorarnos cada vez más a nosotros mismos, buscar las cosas que nos hacen sentir mejor y las que nos alejan del estrés. Un ejemplo claro es el masaje, donde el automasaje juega un papel muy importante ya que de todos es sabido que no hay nadie mejor que nosotros mismos para conocer las zonas del cuerpo que nos son más placenteras. Cuando aplicamos un masaje a otra persona, aprendemos a interpretar qué tipo de técnicas le gustan más, la intensidad, el ritmo o la velocidad. Sin embargo en el automasaje nosotros somos los receptores primarios de todas las sensaciones, sin intermediarios y percibimos directamente lo que aplicamos, pudiéndolo modificar casi al mismo tiempo a nuestro gusto.

DIRECCIONES DEL AUTOMASAJE

Las técnicas del automasaje relajante no son tan estrictas en su realización. Esto se debe a que es difícil disponer siempre de ambas manos con la misma destreza y acceder a la zona que estamos trabajando con la misma facilidad que cuando se lo aplicamos a otra persona. La posición de las manos no siempre es la ideal y no podemos abarcar tanta superficie de piel como sería deseable. Por otra parte, si la postura es difícil de mantener prolongadamente, se verán modificados los tiempos de cada técnica.

ZONAS QUE DEBEMOS EVITAR Y PRECAUCIONES

En el automasaje nosotros somos los receptores primarios de todas las sensaciones. Sin intermediarios, percibimos directamente todo lo que aplicamos.

Las zonas donde debemos poner especial atención son las mismas que las descritas para el masaje tradicional de cada zona. La característica especial es que seremos nosotros mismos los que percibamos cuándo una técnica nos produce molestias. Podremos modificar prácticamente sobre la marcha si estamos aplicando una presión o intensidad excesiva, evitar una zona cuando es dolorosa o más sensible y variar la velocidad a nuestro gusto.

Esta constante autoevaluación conlleva menos riesgos, haciendo del automasaje una alternativa muy segura. Además nos convertirá en autodidactas, pues conociendo mejor nuestro cuerpo, conoceremos mejor el cuerpo de los demás y entenderemos mejor las sensaciones que perciben cuando reciben nuestros masajes. De esta manera mejoraremos nuestra técnica manual, porque sabremos sencillamente por nuestra propia experiencia la forma más agradable de aplicar las manos.

LA POSTURA ADECUADA

Es evidente que en el automasaje es muy importante elegir la postura adecuada para poder alcanzar con nuestras manos la zona que deseamos masajear. También debemos prestar atención para no forzar nuestro propio cuerpo en una posición incómoda durante mucho tiempo. De ser así, no solamente no obtendríamos la relajación adecuada del beneficio que nos aportaría, sino que resultaría más dañino el masaje, porque nos produciría incluso sobrecargas corporales o lesiones.

Debido a estas características especiales, sería muy útil comenzar con un programa de autoestiramientos para acceder con facilidad a todas la partes de cuerpo y al mismo tiempo aumentar nuestra calidad de vida y nuestro estado general de salud.

No existe la postura ideal para aplicar un automasaje corporal completo. Debemos modificar nuestra posición constantemente según la zona y la técnica que vayamos a trabajar, aunque lo habitual es hacerlo sentado en diferentes lugares y posturas.

Nos sentamos sobre una superficie almohadillada apoyada en el suelo. Los cambios de posición para cada técnica son rápidos y sencillos, por lo que podemos realizar cada uno de los toques primero en una pierna y seguidamente en la otra, para después avanzar con la siguiente técnica.

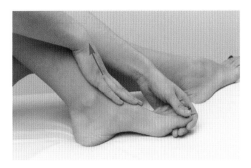

02. EL DORSO DEL PIE

Podemos realizar el automasaje de esta zona desde la posición de sentados, ya sea con el pie apoyado sobre el suelo cercano a nosotros o cruzando la pierna sobre la otra para que el pie se quede en posición lateral a nuestro alcance. Una mano sujetará el pie desde la planta mientras que la otra, con la palma abierta, se deslizará desde el tobillo hasta los dedos. Aplicaremos la mano de manera transversal para abarcar toda la anchura del dorso del pie, quedando el dedo pulgar en un lateral y los demás dedos en el otro. Al llegar a estos, los flexionaremos hacia abajo para estirar toda la musculatura de la zona. Regresaremos haciendo el masaje de roce por el mismo camino pero en sentido inverso, favoreciendo el retorno venoso.

01. LA PLANTA DEL PIE

Mantenemos la posición anterior, pero exagerando un poco más la posición cruzada de la pierna, para que la planta del pie quede expuesta hacia nosotros. Abrazaremos el pie de forma que queden situados en el dorso todos los dedos largos de las dos manos, mientras que ambos dedos pulgares masajean la planta del pie. Mediante movimientos circulares alternativos con los dedos pulgares juntos, nos desplazaremos desde el talón hasta la base de cada dedo del pie. Trazaremos múltiples líneas verticales hasta cubrir toda la superficie cutánea, deteniéndonos con especial hincapié en los músculos que hay entre cada hueso que palpamos y en la zona del arco del pie, zona de gran concentración de tensiones. También masajearemos la yema de los dedos con el mismo movimiento, estirándolos hacia arriba.

03. MASAJE DE LOS DEDOS DEL PIE

Cruzamos una pierna por encima de la otra de manera que quede el pie en una posición accesible a nuestro alcance. Con ambas manos masajearemos uno a uno todos los dedos, separándolos para hacer rozamientos suaves por los laterales, por el dorso y por las yemas. Recorreremos la superficie de piel que separa cada dedo y traccionaremos suavemente todos, como si quisiéramos separarlos del pie. Comenzaremos por el dedo pulgar e iremos desplazándonos hasta el meñique. Una vez que hayamos finalizado con un pie, cruzaremos las piernas al contrario para masajear el otro pie.

El automasaje relajante

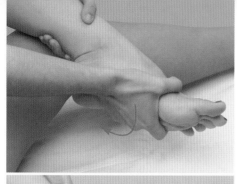

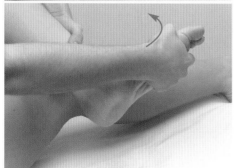

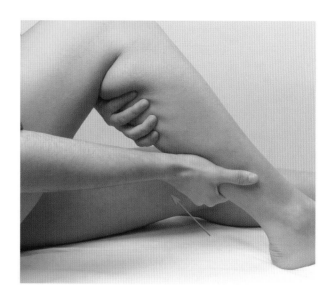

04. MASAJE Y MOVILIZACIÓN DEL TOBILLO

Mantendremos la pierna cruzada con el pie relajado en posición lateral. La mano del mismo lado que la pierna donde vamos a aplicar el masaje tomará la pierna por su región más baja para evitar que se mueva. Con la otra mano tomaremos firmemente el pie desde la planta. Esta última mano será la encargada de transmitir movimientos circulares a toda la articulación del tobillo mediante la rotación del pie. Después de realizar varias repeticiones en un sentido, describiremos los círculos en el sentido opuesto.

05. CARA POSTERIOR DE LA PIERNA

Descruzaremos las piernas para apoyar la planta de uno de los pies sobre el suelo, no muy lejos de la superficie donde estamos sentados, para permitir que la rodilla quede flexionada. Iniciaremos el masaje con pequeños roces alternativamente con las dos manos en dirección hacia arriba desde los tobillos, por toda la cara posterior de la pierna. En esta zona se encuentran los músculos gemelos, que amasaremos a continuación, mediante la colocación de la mano en posición de cuenco. Los movimientos de roce se convertirán poco a poco en amasamientos transversales, donde cada mano por un lateral abarcará y desplazará la musculatura hacia su lado, mientras la otra se lo impide.

06. CARA ANTERIOR DE LA PIERNA

Sentados en el suelo cruzaremos una pierna sobre la otra de tal manera que quede flexionada y cercana a nuestras manos. Las manos abrazarán transversalmente esta zona, dejando los dedos largos en la zona externa donde se encuentra el músculo tibial anterior. La zona interna y más próxima a nosotros no debemos masajearla, debido a que no tiene contenido muscular, sino el hueso de la tibia. Comenzaremos aplicando movimientos de roce con todos los dedos largos desde el tobillo hasta la rodilla y luego descenderemos para repetir el movimiento varias veces. A continuación realizaremos percusiones de tecleteos abarcando la misma zona.

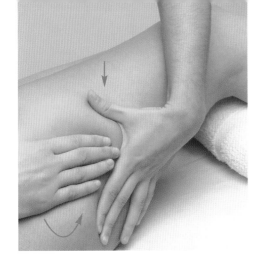

07. Cara anterior del muslo con amasamiento digitopalmar

La posición del cuerpo se mantiene pero las manos se sitúan transversalmente al muslo. El amasamiento digitopalmar exigirá un coordinado juego de muñecas para cizallar y comprimir los tejidos. Una mano ahuecada abarcará toda la musculatura que pueda desplazándola hacia un lateral, mientras la otra lo impide con el pulgar. Alternativamente cambiaremos el movimiento de las manos en direcciones opuestas, hasta cubrir toda la superficie del muslo.

08. Rodilla

Desde la misma posición pero sin cruzar piernas, apoyaremos el talón en el suelo, con la pierna en ligera flexión de rodilla. Podemos colocar un pequeño rodillo hecho de toalla en la zona de la corva, para mantener esta posición de forma relajada. Palparemos la rótula, para después desplazarnos hacia abajo de ella donde encontraremos un tejido blando en forma de grueso cordón: el tendón rotuliano. Una vez localizado, aplicaremos ambos dedos pulgares con movimientos circulares alternativamente para relajar la zona. El amasamiento pulpopulgar apenas requerirá desplazamiento de las manos, debido a la pequeña superficie que representa el tendón.

09. Cara anterior del muslo con amasamiento digital y nudillar

Con la pierna semiestirada o cruzada desde la posición de sentados, podremos acceder fácilmente a la zona del muslo. Los dedos largos realizarán movimientos circulares, en primer lugar con las dos manos al mismo tiempo, para después alternar un pasaje con cada una. Debido a la peculiaridad de la posición del automasaje, siempre desplazaremos las manos desde la zona alta de la pierna hacia la rodilla. Desde la colocación anterior, aplicaremos los movimientos circulares con los nudillos de los dedos largos flexionados. Comenzando siempre al mismo tiempo y después en dos tiempos distintos con cada mano y en dirección descendente.

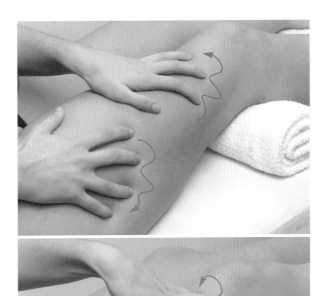

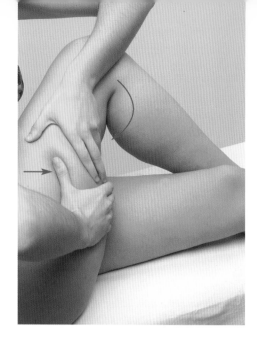

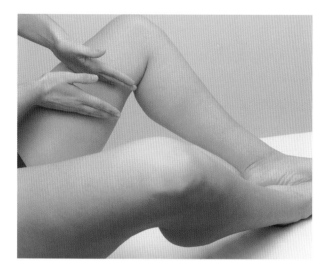

10. Cara externa del muslo

Una pierna permanece estirada mientras la otra se cruza y se apoya el pie en el suelo situándolo por fuera de la rodilla de la pierna contraria. Rotamos el tronco hacia la pierna flexionada y desplazamos con nuestros brazos su rodilla hacia el lado contrario. De esta manera conseguimos estirar la musculatura abductora del muslo a la vez que la masajeamos. Las manos realizarán un amasamiento digitopalmar en toda la cara externa del muslo, mientras con el brazo se mantiene la posición de estiramiento. Los cizallamientos y compresiones alternativas con cada mano se realizarán a lo ancho de la pierna, mientras ascendemos y descendemos nuestras manos por ella.

11. Cara interna del muslo

Juntaremos las plantas de nuestros pies por delante, para que ambas piernas queden separadas, dejando accesible la cara interna de los muslos. En esta zona se encuentran los músculos aductores, que masajearemos mediante suaves percusiones con el borde cubital. Golpearemos suave y repetidamente con el lateral de las manos y los dedos meñiques. Las manos percutirán alternativamente a un ritmo lento, comenzando en la zona alta cercana a la cadera para ir descendiendo hacia la rodilla y después recorrer el camino inverso.

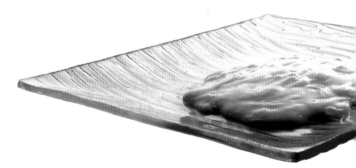

12. Cara posterior del muslo

A continuación apoyaremos toda la planta del pie con la pierna más flexionada, separándose del suelo la cara posterior del muslo para que pueda ser masajeada. Aplicaremos un suave masaje de rozamiento desde la corva hasta la zona del glúteo, primero con una mano y después con la otra alternativamente. Podremos trazar líneas completamente paralelas a la pierna o dibujarlas más diagonalmente para abarcar toda la superficie cutánea con distintas direcciones.

Nos sentamos en una cómoda silla o en el suelo, según prefiramos. Realizaremos cada uno de los toques primero en un brazo y seguidamente en el otro, para después avanzar con la siguiente técnica.

01. PERCUSIONES EN EL MIEMBRO SUPERIOR

La rotación del brazo extendido será igual que en el ejercicio anterior, colocándolo palma arriba o palma abajo según la dirección de desplazamiento del masaje. La mano que masajea se encontrará abierta, de manera que recorramos toda la cara anterior del brazo con suaves percusiones desde los dedos hasta el hombro. El retorno a la posición de inicio se realizará por la cara posterior.

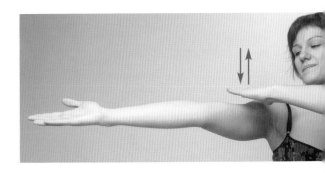

02. ROCE GENERAL DEL MIEMBRO SUPERIOR

Extendemos un brazo hacia delante con la palma de la mano hacia arriba y con la mano contraria nos deslizaremos desde las puntas de los dedos hasta el hombro rozando suavemente por toda la cara anterior del brazo. Cuando lleguemos al hombro, rotaremos el brazo para colocar hacia abajo la palma de la mano del brazo fijo. De nuevo con la mano que masajea recorreremos toda la piel en dirección hacia los dedos, pero esta vez por la cara posterior del brazo rotado. Repetiremos varias veces la misma secuencia, con la palma hacia arriba cuando ascendemos y con la palma hacia abajo cuando descendemos.

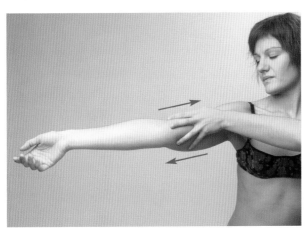

03. AMASAMIENTO DEL ANTEBRAZO

La mano que realizará el masaje se aplicará en posición ahuecada, de manera que pueda tomar entre los dedos toda la musculatura del antebrazo contrario. Apoyaremos el antebrazo sobre nuestras piernas con el codo ligeramente flexionado para que la musculatura se relaje. Iniciaremos el movimiento en la muñeca y ascenderemos por el borde externo al que es más fácil acceder. El borde interno requerirá que invirtamos la posición de la mano para su correcto amasamiento, si nos resulta una posición excesivamente forzada. En ambos casos comprimiremos los tejidos blandos entre nuestros dedos y la palma de la mano, como si quisiésemos bombear la sangre hacia el corazón.

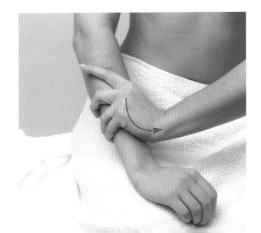

04. ROCE DEL DORSO DE LA MANO

Colocaremos una mano encima de la otra, apoyando la palma sobre el dorso y entrecruzando los dedos estirados. La mano que está situada encima se deslizará hacia la muñeca masajeando la piel que se encuentra entre los dedos y el dorso de la mano. Repetiremos varias veces el movimiento, pero siempre en la misma dirección, por lo que perderemos el contacto con la piel para regresar a la posición de partida. Para masajear la mano contraria, invertiremos la posición, dejando siempre debajo la mano que va a recibir el masaje.

05. AMASAMIENTO PULGAR

Cada pulgar masajeará la palma de la mano contraria, haciendo un amasamiento similar al pulpopulgar, pero de forma individual. Con los movimientos circulares de la yema de los dedos, recorreremos toda la superficie de la mano, desde la muñeca hasta las puntas de los dedos.

06. ESTIRAMIENTO Y ROTACIÓN DE LOS DEDOS

Uno a uno, masajearemos todos los dedos de la mano contraria, abarcándolos mediante una pinza hecha con todos los dedos a la vez. La mano quedará en forma de pico de pato y aplicaremos rozamientos giratorios hacia ambos lados y traccionaremos de los dedos como si quisiéramos separarlos suavemente de la mano. Cubriremos toda la superficie de los dedos, incluyendo los tejidos blandos que quedan entre ellos.

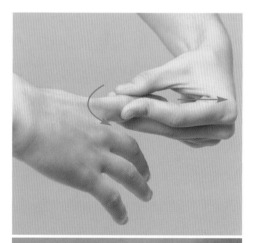

07. LUMBRICALES DE DORSO Y PALMA ENTRE CADA DEDO CON PINZA ÍNDICE-PULGAR

Realizaremos una pinza con los dedos pulgar e índice. Con ella tomaremos los tejidos situados entre las bases de nuestros dedos aplicando un masaje hacia delante y hacia atrás. El dedo pulgar quedará en la zona de la palma y el índice en el dorso y ambos se deslizarán el mayor recorrido posible en dirección a la muñeca, insistiendo en la musculatura situada entre los huesos alargados que componen la mano. Pasaremos uno por uno entre todos los tejidos interdigitales, primero de una mano y después de la otra.

08. Autoestiramiento de la cara posterior del brazo

Mantendremos el brazo completamente estirado mientras lo movemos horizontalmente hasta intentar tocar con el codo el hombro contrario. Para aumentar la sensación de estiramiento, nos ayudaremos con la mano del brazo que no está estirando para empujar más el codo. Evitando las sensaciones dolorosas, debemos mantener la posición de tensión muscular durante un minuto con cada brazo.

09. Autoestiramiento global

Con este ejercicio pretendemos estirar toda la musculatura del brazo de manera conjunta. Situaremos nuestros brazos en posición de cruz, con las palmas de las manos tan abiertas como podamos y las muñecas extendidas hacia atrás. Los dedos se separarán y los codos permanecerán estirados. Muy lentamente llevaremos los brazos hacia atrás como si quisiéramos tocarnos las manos por la espalda. Cuando apreciemos que toda la musculatura se tensa, mantendremos la posición durante aproximadamente un minuto, sin echar la cabeza hacia atrás.

10. Amasamiento de la cara anterior del brazo

En esta zona encontramos el músculo bíceps con una forma redondeada y fácil de abarcar por nuestra mano ahuecada. El brazo lo situaremos relajado a lo largo de nuestro cuerpo. Apoyaremos la palma de la mano abarcando toda la superficie cutánea posible y realizaremos un amasamiento constante que desplace el músculo primero hacia un lado y después hacia el contrario. A la vez comprimiremos y estiraremos el tejido entre nuestros dedos y la palma de la mano para obtener una relajación mayor.

11. Roce de la cara posterior del brazo

Para que la zona nos resulte más accesible, colocaremos la mano del brazo que vamos a masajear en la nuca. En este ejercicio la palma de la mano que masajea permanece abierta y adaptando su forma a la de la superficie. Tomaremos toda la musculatura de la parte posterior del brazo desde la zona del codo y descenderemos hasta el hombro aplicando un suave roce. Imaginaremos que estamos drenando la zona y queremos vaciar las venas de sangre para empujarla en su retorno hacia el corazón.

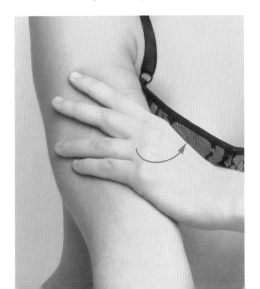
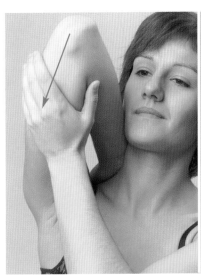

B. EL AUTOMASAJE RELAJANTE PARA EL TRONCO Y EL CUELLO

La postura ideal será situarnos tumbados boca arriba, pero incorporados ligeramente de la espalda. Con esta flexión de la espalda que descansa en una superficie de apoyo inclinada y con ayuda de una almohada para la cabeza, evitamos forzar el cuello cuando dirigimos la mirada hacia la zona que estamos masajeando.

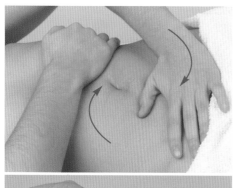

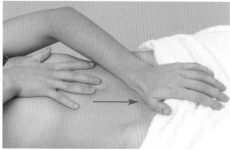

01. MASAJE CIRCULAR Y ROCE VERTICAL DEL ABDOMEN

Descansaremos las manos una a cada lado del abdomen. Comenzaremos trazando un círculo completo en dirección de las agujas del reloj con una de ellas. Cuando finalizamos será el turno de la otra, dibujando en círculo en la misma dirección pero partiendo desde su lado. Repetiremos esta secuencia varias veces, empezando con círculos pequeños cercanos al centro del abdomen y ampliando poco a poco hasta abarcar el pubis y las costillas. En el roce vertical, ambas manos se alternarán para deslizarse con un agradable movimiento desde la zona alta del abdomen hasta al pubis. Seguiremos la línea central del abdomen, primero con una mano y luego con la otra. Rozaremos todo el músculo recto abdominal, sin presionar con excesiva fuerza, ya que debemos recordar el amplio contenido visceral de la cavidad abdominal.

02. CÍRCULOS CON LOS HOMBROS

Este ejercicio nos permite automasajear la zona de los hombros y la espalda, ya que obtenemos un efecto relajante y de eliminación de tensiones en la zona muscular que rodea a la escápula. Con los brazos estirados y relajados a lo largo del cuerpo, realizaremos movimientos circulares solamente con los hombros. Haremos los movimientos lo más amplios que podamos, llegando casi a tocarnos las orejas por arriba y con la sensación de ir a juntar los hombros por delante y por detrás del tronco y de llegar con las manos al suelo por debajo. Realizaremos diez círculos hacia delante y diez hacia atrás.

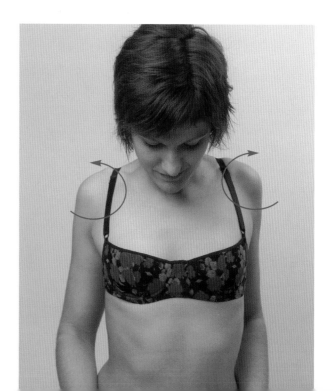

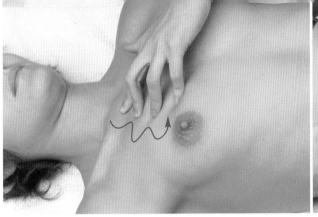
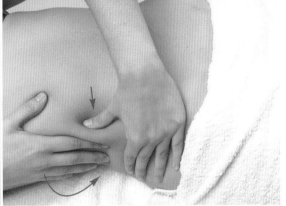

03. AMASAMIENTO DIGITAL DEL PECHO Y DEL MÚSCULO PECTORAL

Cada mano masajeará la zona del músculo pectoral contrario de manera individual. Los dedos avanzarán con movimientos circulares desde la zona central del pecho hacia el lateral contrario. Repetiremos la secuencia varias veces, siempre siguiendo esta dirección y no descendiendo demasiado en el pecho femenino para no abarcar la mama. Para el amasamiento del músculo sólo podremos abarcar con una mano cada músculo. La mano en posición ahuecada masajeará con desplazamientos hacia un lado y otro la musculatura del pectoral sin descender hasta la mama. Desplazaremos y comprimiremos el músculo hacia el centro del pecho y cuando lleguemos a su límite de elasticidad, lo comprimiremos hacia el lateral. En la mama no amasaremos, sino que aplicaremos suaves movimientos de roce circular.

04. AMASAMIENTO DIGITOPALMAR DE LOS MÚSCULOS OBLICUOS Y LATERAL DEL ABDOMEN Y TORSO

A continuación rotaremos el tronco para acceder con nuestras manos a la musculatura situada en los laterales del abdomen y del tórax. Mediante la técnica de amasamiento digitopalmar con ambas manos alternativamente, comprimiremos y cizallaremos la zona. En las zonas altas cercanas a la axila no podremos usar ambas manos, por lo que el amasamiento se realizará solamente con la mano contraria a cada lado. Abarcaremos y movilizaremos toda la musculatura que recoja nuestra mano, mientras la mano contraria la desplaza en el sentido opuesto.

05. ROCE EN ABANICO DE LA ZONA DORSAL ALTA Y CERVICAL

A continuación rotaremos el brazo hacia fuera, dirigiendo la mano hacia la zona alta de la espalda. El movimiento de roce en abanico será similar al ejercicio anterior, pero en esta zona será más fácil abarcar mayor superficie cutánea. Debemos cubrir el cuello y ambos hombros hasta las escápulas, ayudándonos para ello del cambio de mano para cada lateral.

06. ROCE EN ABANICO DE LA ZONA LUMBAR Y DORSAL BAJA

Con el brazo rotado hacia dentro, alcanzaremos con nuestra mano la zona baja de la espalda. La superficie que podamos abarcar dependerá de las propiedades elásticas de cada persona y al mismo tiempo será un ejercicio de autoestiramiento que mejorará en nosotros esta capacidad. Los dedos y la palma de la mano se deslizarán en abanico, ejerciendo un rozamiento semicircular sobre la piel y la musculatura de la zona. Al finalizar con un lado de la espalda, cambiaremos de brazo para masajear el lado contrario.

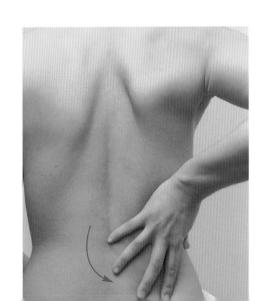

07. Rozamiento transversal en la zona posterior del cuello

Masajearemos la zona muscular y grasa situada detrás de las vértebras cervicales. Aplicaremos suaves pellizcos con la pinza formada por el pulgar en contra de los demás dedos largos. Abarcaremos con la palma ahuecada todos los tejidos blandos y traccionaremos de ellos como si quisiésemos separarlos de la estructura ósea (al igual que realizan las hembras de algunos animales para coger a sus cachorros con la boca). Una vez que hemos llegado al límite de elasticidad, relajamos la fuerza aplicada. Repetiremos varias veces el pasaje, primero con una mano y luego con la otra.

09. Amasamiento en la zona superior de los hombros

Esta región corresponde a las fibras superiores del trapecio. Una mano se apoya sobre el hombro contrario, dejando los dedos en la zona posterior y el talón y la palma cubriendo la zona anterior y superior de la banda muscular. Con un movimiento de pinza global de la mano, comprimiremos y soltaremos el músculo reiteradamente. Después de amasar un hombro, trabajaremos el otro con la mano contraria.

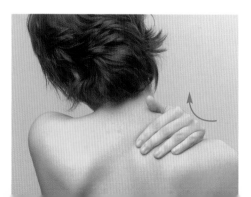

08. Fricciones circulares

Situaremos a continuación una mano a cada lado del cuello, apoyando la palma abierta y relajada. Con movimientos circulares y simultáneos en dirección hacia atrás y hacia abajo, masajearemos la zona. No habrá deslizamiento entre la piel de la persona a la que estamos aplicando el masaje y nuestras manos, realizando unas diez repeticiones aproximadamente.

10. Presión mantenida en la zona superior de los hombros

Los dedos largos permanecerán juntos y estirados para ejercer presión en la zona de los trapecios superiores. Palparemos hasta encontrar zonas donde se acumule la tensión, que apreciaremos porque están más duras o resultan molestas al presionarlas. Situaremos los dedos encima de estas zonas y mantendremos una suave presión hacia abajo durante un minuto. Nunca debemos notar una sensación dolorosa, si fuese así, reduciremos la fuerza que estamos imprimiendo.

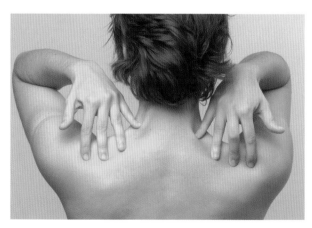

Donde no lleguen nuestras manos

Existen zonas que pueden resultar inalcanzables para nuestras manos. Con sencillos ejercicios accederemos con facilidad a cada centímetro de piel donde se acumule nuestro estrés diario.

Automasaje con toalla

Tomaremos la toalla ligeramente enrollada sobre si misma por ambos extremos. Con los brazos elevados conseguiremos deslizarla suavemente por la zona cervical, primero hacia los laterales y posteriormente hacia arriba y hacia abajo. No olvidemos masajear también la zona posterior de la cabeza, donde experimentaremos una agradable sensación antiestrés.

A continuación descenderemos nuestras manos para desplazar la toalla hasta la altura de los hombros. Moviendo los brazos hacia ambos laterales, cubriremos desde la zona de las escápulas hasta la zona media de la espalda. Será el turno de la zona baja o lumbar de la espalda. Los brazos rotarán en sentido contrario para que la posición sea más cómoda, descendiendo todavía más las manos. Rozaremos la piel en sentido lateral.

Para finalizar tomaremos la toalla diagonalmente, con el brazo de arriba rotado hacia fuera y el brazo de abajo rotado hacia dentro. El desplazamiento se hará en diagonal, primero en un sentido y luego en el otro cambiando de posición los brazos.

Automasaje con pelotas

Cuello: adoptaremos la posición de tumbados boca arriba en el suelo o en la camilla. Colocaremos dos pelotas pequeñas a cada uno de los lados de la línea de nacimiento del pelo. Prestaremos especial cuidado para no situarlas en las vértebras cervicales, sino en el hueso occipital del cráneo, así como para no dejar que la cabeza se extienda hacia atrás sino que debemos mantener la barbilla cercana a la nuez de la garganta. Dejaremos descansar el peso de nuestra cabeza durante un minuto, concentrándonos en la presión que nos libera de las tensiones acumuladas en la zona.

Espalda: nos situaremos de espaldas a una pared, con toda la columna cercana a ella y con las piernas semiflexionadas. A continuación colocaremos una pelota entre la pared y nuestra espalda, en una región protegida por tejidos blandos y evitando la columna vertebral. Con movimientos rítmicos de las piernas, desplazaremos la pelota por las zonas de la espalda que más nos agraden y manteniéndola presionada en determinados puntos de tensión. Al principio puede resultar dificultoso y la pelota puede caerse, pero es fundamental mantenerse relajado en todo momento, independientemente del tiempo que seamos capaces de mantener la pelota. Con el tiempo adquiriremos experiencia que nos permitirá incluso automasajearnos con dos o tres pelotas al mismo tiempo.

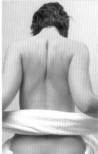

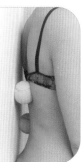

C. EL AUTOMASAJE RELAJANTE PARA LA CARA Y LA CABEZA

Nos situaremos sentados en nuestro lugar preferido. En el masaje de la cara, además de los efectos relajantes, podemos obtener beneficios estéticos, siguiendo unos sencillos principios: la dirección del masaje será siempre hacia arriba para combatir la gravedad y desde el centro hacia fuera para estirar. Podemos utilizar el masaje de cara como base para extender las cremas para el rostro que usemos habitualmente, de manera que los efectos relajantes se trabajen a diario.

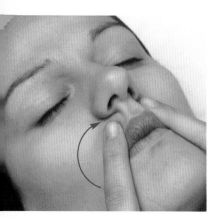

01. BOCA

Juntaremos los dos dedos índices entre la barbilla y el labio inferior. Este será el punto de unión para dibujar dos semicírculos que rodeen al mismo tiempo el contorno de los labios hasta juntarse de nuevo en la zona central entre la nariz y el labio superior. A continuación recorreremos el camino con el mismo masaje de roce superficial pero en sentido contrario. Una vez en el punto de partida, con el dedo índice de la mano derecha describiremos un círculo completo alrededor de la boca y después será el turno del otro dedo para dibujar el círculo opuesto. La secuencia de estos cuatro movimientos se repetirá cinco veces aproximadamente.

02. FRENTE

Los dedos índices comenzarán el movimiento juntos en la zona de unión de ambas cejas. Los desplazaremos simultáneamente en direcciones opuestas hacia arriba y hacia fuera, alcanzando la zona de la sienes. Con movimientos circulares regresaremos al punto de partida para trazar líneas paralelas cada vez más arriba, hasta cubrir toda la superficie de la frente.

03. CONTORNO DE LOS OJOS

Iniciaremos el masaje desde la zona del lacrimal. Con el dedo índice en cada ojo correspondiente realizaremos un suave roce por la zona conocida comúnmente como «ojeras» o zona baja del contorno del ojo. El movimiento será de ida y regreso al punto inicial. A continuación realizaremos un movimiento de rozamiento circular por todo el contorno del ojo en un sentido y seguidamente dibujaremos otro círculo en el sentido opuesto. Repetiremos la misma secuencia reiteradamente.

04. CÍRCULOS DE BOMBEO EN LA PAPADA

Las palmas abiertas de las manos se apoyarán en la zona entre la mandíbula y el cuello. Sin apenas presionar y sin deslizarnos por la piel, realizaremos movimientos circulares. Imaginaremos que estamos bombeando el contenido de la circulación sanguínea y linfática hacia el corazón. La dirección de los movimientos será siempre hacia atrás y hacia abajo.

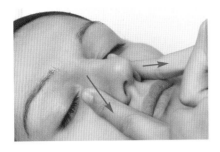

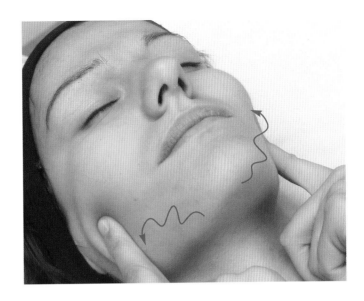

05. NARIZ

La superficie cutánea de la nariz se masajeará solamente en su base, recorriendo su contorno triangular. Ambos dedos índices comenzarán desde la zona alta de la nariz, cada uno en su lateral correspondiente. Descenderemos por ambos lados simultáneamente con un roce suave hasta llegar a la base, donde se juntarán en la zona central del labio superior. Será entonces el momento de recorrer la zona en sentido inverso hasta llegar de nuevo a la zona de unión de las cejas. Repetiremos la técnica unas diez veces aproximadamente.

06. BARBILLA

El punto inicial será el mentón para ambos dedos índices. El masaje de rozamiento se aplicará esta vez mediante pequeños círculos hacia arriba y hacia fuera, siguiendo la línea de la mandíbula. El movimiento se realizará simultáneamente con ambos dedos en direcciones contrarias, hasta alcanzar la zona de cada oreja correspondiente. Para regresar al punto de partida y repetir la técnica, perderemos el contacto con la piel y solamente masajearemos en la dirección descrita.

07. PERCUSIÓN GENERAL CON LOS DEDOS LARGOS

El objetivo de esta técnica es activar toda la musculatura de la cara. Utilizaremos los dedos largos juntos y estirados para percutir suave y lentamente por toda la superficie cutánea de la cara. Cada mano masajeará el lado de la cara correspondiente al mismo tiempo y evitaremos siempre la zona de los ojos.

08. PERCUSIONES EN LA ZONA INFERIOR DEL CONTORNO DEL OJO

Debido a la fragilidad de la zona, aplicaremos las suaves percusiones con el dedo meñique en cada ojo correspondiente. Comenzaremos por la zona cercana a la nariz y aplicaremos los golpecitos simultáneamente con ambos dedos hasta llegar al vértice lateral de cada ojo y después regresar al punto de partida. La intensidad que debemos aplicar es similar a un suave apoyo, sin apenas imprimir fuerza.

09. AMASAMIENTO DIGITAL Y FRICCIÓN DEL CUERO CABELLUDO

Comenzaremos con los dedos largos desde la línea de nacimiento del pelo en la zona posterior de la cabeza. Describiremos pequeños círculos con todos los dedos mientras ascendemos por toda la cabeza hasta la frente. La velocidad de aplicación será muy baja, deslizando nuestros dedos por la piel y el pelo que masajeamos. Cuando acabemos la secuencia de la técnica, repetiremos múltiples veces siempre desde el mismo punto de partida. Para la fricción alinearemos nuestros dedos largos detrás de cada oreja del mismo lado. A continuación imprimiremos un masaje de fricción por todo el cuero cabelludo hasta juntar las manos en la parte superior de la cabeza. A diferencia de la técnica anterior, los dedos no se deslizarán por la piel y el pelo, sino que los movimientos circulares desplazarán el cuero cabelludo por encima del hueso craneal situado inmediatamente debajo.

10. CÍRCULOS Y PRESIÓN EN LAS SIENES Y MASAJE DE CARA CON UNA BROCHA DE PELO FINO

Aislaremos y juntaremos los dedos índice y corazón de cada mano. Apoyándolos en las sienes imprimiremos una firme presión no dolorosa durante unos segundos. Seguidamente y sin dejar de presionar comenzaremos a trazar fricciones circulares (sin deslizamiento por la piel) en dirección hacia arriba y hacia delante. Repetiremos diez veces aproximadamente y a continuación invertiremos el sentido de los círculos el mismo número de repeticiones. La brocha nos aportará sensaciones diferentes al estimular receptores nerviosos de la piel con mayor intensidad. Deslizaremos la brocha por toda la cara, siguiendo las direcciones descritas en las distintas técnicas según la zona.

11. PRESIÓN EN LA ZONA ENTRE LAS CEJAS Y LA NARIZ

Desde donde estamos sentados cómodamente, apoyaremos los codos flexionados sobre una superficie a una altura adecuada, como una mesa o la camilla. Separaremos los dedos pulgares de los demás dedos y sobre ellos apoyaremos la zona de la órbita ocular, cercana al punto de unión de la ceja con la nariz. La cabeza descansará por su propio peso durante aproximadamente un minuto de tiempo, percibiendo la agradable sensación de descongestión y relajación.

12. ROCE DETRÁS DE LAS OREJAS

Toda la superficie de los dedos índices servirá para masajear con un agradable rozamiento la superficie cutánea temporal y posterior del pabellón auricular. Deslizaremos nuestros dedos simultáneamente por cada lateral correspondiente, en movimientos hacia delante y hacia atrás y también circulares.

13. PEINAR EL PELO ENTRE NUESTROS DEDOS

Construiremos con nuestros dedos largos un pequeño peine, flexionándolos de forma redondeada. Peinaremos todas las áreas de la cabeza, respetando la dirección de nacimiento del pelo según sea en cada zona. Al mismo tiempo intercalaremos pequeñas tracciones, recogiendo el pelo en pequeños mechones y tirando suavemente de ellos como si quisiéramos separarlos por su raíz.

MATERIAL ESPECIAL PARA EL AUTOMASAJE

En el mercado existen múltiples aparatos de automasaje, como se ha visto anteriormente, sin embargo en nuestra casa también podemos encontrar diversos materiales muy útiles.

Un ejemplo de ello es la alcachofa de la ducha. Cambiando la intensidad de la presión del agua y la temperatura de manera brusca, conseguiremos importantes efectos relajantes. Bastará con deslizarla suavemente por todo el cuerpo realizando un masaje circular, desde los pies hasta la cabeza. Las variaciones de temperatura conseguirán una activación del sistema circulatorio y sedación del sistema nervioso central.

Otro sencillo objeto es el guante de crin, usado habitualmente como exfoliante del cuerpo. Aplicado en roces circulares por todo el cuerpo o siguiendo las direcciones de los pasajes descritos anteriormente para cada zona corporal, además de sus efectos estéticos, nos aportará los beneficios antiestrés del masaje.

AUTOMASAJE EN EL EMBARAZO

El automasaje en el embarazo no está contraindicado pero sí debemos seguir unos pequeños consejos. Es evidente que la zona del abdomen y del pecho sufren los mayores cambios durante este proceso. Será en estas zonas donde pondremos especial cuidado y no aplicaremos presión durante el masaje. Los rozamientos serán superficiales y paralelos al tejido cutáneo.

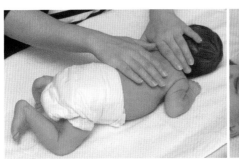
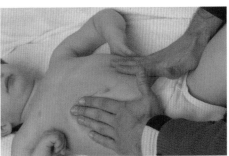

DURANTE SIGLOS LAS MUJERES HAN APRENDIDO TRADICIONALMENTE EL CUIDADO DE SUS HIJOS DE SUS PROPIAS MADRES. EN LA CULTURA ORIENTAL, EL MASAJE INFANTIL SIEMPRE HA FORMADO PARTE DE ESTE APRENDIZAJE Y DE ESTOS CUIDADOS. ES EN LA ACTUALIDAD CUANDO SE ESTÁ INTRODUCIENDO ESTA TÉCNICA EN EUROPA, DEBIDO A QUE LOS PEDIATRAS ESTÁN DESCUBRIENDO Y DEMOSTRANDO LOS GRANDES BENEFICIOS QUE ESTA TRADICIÓN APORTA A NUESTROS BEBES.

Dentro de la madre, el niño en desarrollo tiene limitados sus sentidos a unos pocos estímulos. Después del nacimiento se encontrará en un medio en el que todas las sensaciones serán nuevas, incluso las que para nosotros pasan ya desapercibidas: la luz, el ruido, el frío, el calor, el hambre, incluso el movimiento. Al principio todos estos estímulos ocupan por completo los sentidos, y provocan en el bebé miedo e inseguridad que canalizará a través del lloro. El tiempo hará que nuestro hijo se acostumbre poco a poco a estos estímulos y ya no le sean extraños, comenzando entonces a interpretarlos. Ya no será luz, sino objetos, habrá palabras en vez de ruidos e incluso comenzará a controlar su propio movimiento.

El masaje también supone una experiencia nueva para el bebé. Su pequeño cerebro en desarrollo se inunda de sensaciones desconocidas, que en un principio pueden causarle miedo o frustración. Es importante saber esto, ya que debemos hacerlo de manera progresiva para que se vaya acostumbrando poco a poco, al igual que ocurre con el resto de estímulos.

BENEFICIOS DEL MASAJE INFANTIL

El contacto es una de las principales fuentes de comunicación con nuestro bebé: besos, caricias, incluso al mecerlo le estamos transmitiendo cuánto le queremos sin que exista todavía lenguaje oral. El masaje supone una gran experiencia táctil para nuestro bebé, que refuerza los vínculos con sus padres.

El masaje no es una comunicación aislada ya que siempre va acompañado de voz, aliento, miradas, sonrisas, calor corporal (efecto canguro) y que ayuda a completar la comunicación con su hijo.

El recién nacido no conoce su propio cuerpo, no sabe cuáles son sus límites, dónde termina él y dónde empieza su madre. Para aprenderlo necesita estímulos, sobre todo el tacto, que le ayuden a sentir todas las partes de su cuerpo. Una vez que se conozca a sí mismo, se interesará por lo que le rodea y buscará la manera de alcanzarlo, de sentirlo con todo lo aprendido.

Es evidente que un niño privado de estímulos, de juegos, de caricias no desarrollará por completo todo su potencial. De la misma manera, cuanto más y mejores sean los estímulos que le proporcionemos, mejor será su desarrollo.

Los efectos físicos del masaje son la estimulación de los diferentes sistemas corporales: nervioso, inmunológico, muscular, digestivo, circulatorio, hormonal, respiratorio y de eliminación de sustancias de desecho.

En respuesta al masaje, el cuerpo libera endorfinas, sustancias que le proporcionarán sensación de bienestar y calma, disminuyendo el dolor y la irritabilidad. El masaje ayuda al bebé a aprender a relajarse, y el descanso es fundamental en ellos debido a que repara todos los cambios sufridos por el organismo durante los periodos de actividad, además de fijarse todo lo que ha aprendido nuevo. Las consecuencias de una sobre estimulación son muy perjudiciales, y debemos tener en cuenta que el descanso es tan importante en el niño como su aprendizaje.

El masaje ayudará a calmar al niño cuando está irritable y a estimularle para mejorar su aprendizaje. También le ayudará a aliviar pequeños dolores digestivos, muy frecuentes en los niños debido a que es un sistema aun en desarrollo después del nacimiento, ayudando por ejemplo a expulsar los gases.

Por todo ello, podemos decir que los beneficios del masaje infantil son muchos, tanto en el campo físico como en el psicológico. El niño tendrá la oportunidad de aprender a sentirse amado y a devolver ese cariño, a confiar en los demás, a sentirse único, seguro, a descubrir sus límites, a comunicarse con sus padres a través de gestos, sonrisas y sonidos.

EFECTOS DEL MASAJE EN BEBÉS Y NIÑOS

Alivio de los trastornos típicos de los bebés

- Alivio de los cólicos, gases y estreñimiento.

- Produce sensación de bienestar y relajación. Ayuda a que el niño esté calmado y elimina el estrés y los bloqueos que puede sufrir al estar todo el día en un medio desconocido hasta ahora para él y lleno de cosas nuevas.

- Ayuda a dormir profundamente, reduce el insomnio y las pesadillas, mejorando así el descanso.

- Alivio del dolor producido por el nacimiento de los primeros dientes.

El aparato locomotor y el movimiento

- Tonifica y ayuda al fortalecimiento de los músculos, favorece su contracción y por tanto el movimiento.

- Fortalecimiento de su columna, en su camino hacia la puesta en pie.

- Estimulación temprana.

- Ayuda en los progresos físicos y motores de niños con necesidades especiales, como los prematuros.

Desarrollo de órganos y funciones vitales

- Facilita la maduración de aparatos aún en gran desarrollo, regulando y reforzando la función respiratoria, digestiva y circulatoria.

- Ayuda a estimular el sistema inmunológico, ya que el estrés disminuye su equilibrio.

- Influye en el desarrollo del sistema nervioso, excretor y hormonal (liberando sustancias responsables de las sensaciones de bienestar, como las endorfinas).

- Favorece la ganancia de peso.

El desarrollo psicológico

- Estimula al niño en un desarrollo psíquico positivo.

- Favorece el desarrollo intelectual y de adaptación.

- Provoca un tiempo de disponibilidad plena hacia el niño, favoreciendo los vínculos y relaciones padre-hijo, aumentando la autoestima del bebé.

Las relaciones con el mundo que le rodea

- La comunicación no verbal es fundamental en el bebé, que aún es incapaz de hablar. El masaje intensifica la comunicación afectiva entre el bebé y las personas de su entorno. También formarán parte de esta comunicación la mirada, las sonrisas, los sonidos, el olor, las caricias y demás estímulos.

- Permite comunicarnos y conectar con el bebé desde sus posibilidades.

- Favorece la interacción con el medio que le rodea tanto en términos de cantidad como de calidad.

Beneficios para los padres

- El masaje es una potente arma para ayudar a los padres a ganar confianza en si mismos. Mediante nuestro contacto demostramos al bebé que estamos a su lado en esos momentos de desasosiego, que cuenta con nuestra ayuda. Por eso debemos aprender a realizar el masaje sin miedo ni titubeos, aunque al principio resulte difícil. Saber que estamos ayudando a nuestro hijo también ayudará a reducir nuestra ansiedad y a mejorar nuestra autoestima.

- El estrés y las tensiones emocionales diarias se disuelven en este tiempo de relajación. Debemos aprender a relajarnos para no transmitir nuestra tensión al bebé, que es capaz de percibirla rápidamente. Este esfuerzo diario nos ayudará a controlar nuestra propia sobrecarga emocional.

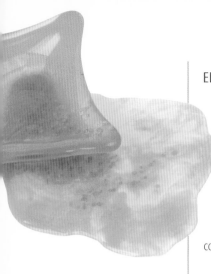

EL DESARROLLO DEL NIÑO

El desarrollo del bebé comienza durante el embarazo, dentro de su madre. Después del nacimiento, este desarrollo continúa como ser independiente. Aunque esta evolución continuará a lo largo de toda nuestra vida, es en el primer año cuando desarrollamos las habilidades de mayor importancia. Durante nuestro primer año evolucionamos de estar tumbados todo el tiempo hasta dar nuestros primeros pasos, e incluso a producir nuestros primeros sonidos o a conocer a nuestros padres y personas más cercanas. También desarrollamos rasgos de nuestro carácter y la relación con todo lo que nos rodea.

Como podemos suponer, el cerebro funciona sin descanso durante este periodo, todos los estímulos del exterior le hacen aprender y madurar. El juego será el encargado de que

HITOS DEL DESARROLLO MOTOR DEL BEBÉ

3 meses: tumbado boca arriba se mira, toca y juega con ambas manos. Tumbado boca abajo se apoyará en sus codos para levantar la cabeza u observar su alrededor. Reconoce a su madre.

4 meses: lanza la mano para coger los objetos que le atraen. Se ríe conscientemente.

6 meses: tumbado boca arriba se mira los pies y los agarra con las manos.

7 meses: se lleva el pie a la boca tumbado boca arriba. Comienza a aprender a coger pequeños objetos.

8 meses: se arrastra por el suelo para desplazarse como un reptil. Se voltea desde boca abajo a boca arriba. Repite sílabas. Es capaz de coger objetos por encima de su cabeza. Juega con los objetos, ya no sólo los coge y los tira.

9 meses: gatea coordinadamente. Es capaz de sentarse y mantenerse sin apoyo de las manos. Entiende el uso del «NO». Pasa los objetos de una mano a la otra y es capaz de hacer la pinza

perfectamente entre el dedo índice y pulgar para coger pequeños objetos.

10 meses: comienza a sacar una pierna desde la posición de gateo con ayuda de los muebles para intentar ponerse de pie. Es capaz de comer solo con los dedos.

11 meses: se mantiene de pie con ayuda del agarre de los brazos a los muebles o a sus padres. Dice las primeras palabras.

12 meses: camina lateralmente por los muebles hasta que poco a poco va soltando las manos y da sus primeros pasos libremente. Entiende una orden simple y comenzará a decir su segunda palabra. Es capaz de coger dos objetos en una mano.

Este esquema es sólo una guía orientativa para los padres, pudiendo variar en función de cada niño hasta dos meses por encima o por debajo. No es recomendable forzar ni presionar al niño para que adquiera ciertas capacidades antes de tiempo, ya que ni su cerebro ni su cuerpo están aún preparados.

este aprendizaje sea atractivo para el niño y no suponga ningún esfuerzo. Esto es muy importante para que enfoquemos nuestro masaje infantil siempre como algo divertido, un juego que a nuestro niño le sea placentero. Esta sensación de bienestar será vinculada rápidamente a la persona que se lo realiza, en especial sus padres.

LA POSICIÓN DEL BEBÉ O NIÑO

La posición para colocarlo no obedece a estructuras fijadas, ya que influirá en ello la edad del niño. Es importante saber que las posturas fundamentales donde el niño desarrolla su movimiento son: tumbado sobre la tripa o bocabajo y tumbado de espaldas o bocarriba. Es muy beneficioso para nuestros hijos jugar en esas posiciones, sobre todo cuando son muy pequeños y no debemos sentarles, hacerles gatear o ponerles de pie antes de tiempo. Un niño con un desarrollo normal se sentará y gateará correctamente a partir de los ocho meses y no se pondrá de pie hasta los doce.

Podemos aplicarles el masaje mientras juegan en una toalla sobre el suelo o sobre nuestras rodillas o regazo. La posición debe permitir miraros a los ojos tanto a tu hijo como a ti.

Nuestra posición debe ser también cómoda y relajada, sin tensar los hombros y con la espalda recta para prevenir futuras dolencias. Si nuestra posición es incómoda transmitirá además al niño nuestra tensión.

LA PREPARACIÓN DE LA SALA Y LOS MATERIALES

La preparación de la sala es fundamental en el masaje infantil. Debemos conseguir un ambiente libre de todo ruido y estímulos desagradables que puedan distraer e irritar el bebé. La temperatura debe ser cálida ya que el niño estará desprovisto de toda la ropa y tener siempre a mano una toalla para cubrirle cuando acabemos o si durante el masaje se encuentra molesto por el frío. Un aislante o impermeable como el que usamos en el cambiador también resulta de gran utilidad colocado entre el niño y la superficie donde se apoya, pues es frecuente que el bebé orine durante el masaje. La sensación de desnudez y la relajación estimulan este hecho.

Para facilitar el deslizamiento de nuestras manos por la piel, podemos usar un aceite natural o la crema que habitualmente usamos para hidratarle. Al igual que en el masaje tradicional, nunca debemos aplicarlos directamente sobre su piel, sino en nuestras manos y frotarlas intensamente para calentarlo. Si es necesario podemos acercar durante unos minutos el recipiente que contiene el lubricante a una fuente de calor (radiador, calefactor, luz), de manera que evitemos que se encuentre a temperatura demasiado baja. La cantidad dependerá de cada persona y de la experiencia que vayamos adquiriendo, pero no se recomienda usar en exceso para no engrasar la piel ni deslizar en exceso, disminuyendo la sensación táctil.

La comunicación no verbal es fundamental en el bebé que es incapaz de hablar. El masaje permite comunicarnos y conectar con el bebé desde sus capacidades.

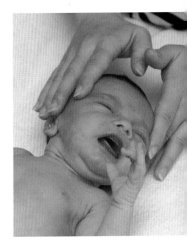

Pueden contener sustancias aromáticas añadidas, pero siempre asegurándonos previamente que no provocan reacciones alérgicas untando una pequeña cantidad en una zona limitada. La piel de los niños es mucho más delicada que la de los adultos y puede irritarse con mayor facilidad.

Los juguetes son un elemento esencial en el masaje, ya que nos ayudarán a centrar la atención del niño y evitar que se canse. Debemos tenerlos siempre cerca y evitar que produzcan ruidos fuertes que obliguen al niño a desplazarse en exceso. Debemos saber que el niño solamente empieza a jugar a partir del quinto mes, mientras que en los meses previos los juguetes solamente cautivan su atención por sus colores vivos, sonido, texturas o tamaño.

¿CUÁNDO NO DEBEMOS APLICAR UN MASAJE AL BEBÉ O AL NIÑO?

El masaje infantil no supone ningún riesgo y puede realizarse en todo tipo de niños, teniendo en cuenta unas sencillas recomendaciones de cuándo es preferible no realizarlo:

· Si el niño reacciona al masaje de manera negativa, llora o se muestra irritado. Para ello comenzaremos haciendo círculos suaves en el pecho y en la espalda y observaremos cuáles son sus reacciones.

· Cuando tenga fiebre, ya que es reflejo de infecciones como la gripe. Con el masaje podríamos influir en el aumento de la temperatura corporal.

· Si el niño sufre algún tipo de lesión física que no debe ser manipulada, como la existencia de fracturas recientes.

LOS TOQUES DEL MASAJE INFANTIL

En el masaje infantil, a diferencia del masaje en personas adultas, sólo vamos a utilizar un tipo de técnica: la frotación o roce. Como recordamos, en estas técnicas nuestras manos se deslizan suavemente por la piel del niño sin apenas realizar presión hacia el cuerpo. De esta manera conseguimos potenciar los efectos cutáneos y sensitivos. No existe un número ideal de repeticiones de cada pasaje, pero no debemos prolongar el masaje más de 20 minutos, de manera orientativa podemos realizar unas diez veces cada pasaje. Estos números serán siempre flexibles y debemos adaptarlos a la capacidad de concentración de cada niño, y en cada caso particular, según el momento en el que se encuentra cada día.

EL MASAJE SHANTALA

El masaje Shantala es una técnica milenaria de origen hindú. Se basa en el masaje tradicional que las madres proporcionaban a sus hijos de forma natural en la India. El obstetra Dr. Frédéric Leboyer fue quien lo introdujo en Europa después de aprender cómo lo realizaban y los beneficios que aportaba tanto a niños sanos como a los que padecían alguna enfermedad o discapacidad. Shantala es el nombre de la mujer a la que observó mientras masajeaba a su hijo durante un viaje a Calcuta.

Lo importante es saber que el objetivo del masaje es ir acariciando la piel del bebé y moviéndolo suavemente usando nuestras manos. Al principio debemos seguir unas secuencias básicas para luego ir descubriendo cuáles son los toques que más le gustan a nuestro hijo y cuáles se adaptan al desarrollo.

Sobre este desarrollo el masaje Shantala influirá positivamente en todos los aspectos, pudiendo realizarse incluso en niños prematuros. La edad ideal para iniciarnos en este masaje será cuando el niño cumpla un mes aproximadamente. A partir del primer mes la zona del cordón umbilical no requiere tantos cuidados y precauciones y la intensidad de los reflejos primarios comienza a disminuir. El momento ideal para el masaje puede ser después del baño, realizándolo a diario, siempre y cuando el niño esté receptivo. Si por algún motivo hay días en que no disfruta o que incluso usted no se encuentra disponible, es mejor dejarlo para otro momento y nunca forzar la situación, ya que sería contraproducente.

El masaje Shantala favorece el movimiento y el desarrollo psicológico del bebé. Estas dos cosas serán fundamentales para su relación con el entorno, por ello estamos influyendo directamente sobre su psicomotricidad. A través de las sensaciones que provocamos con el tacto y el movimiento de cada zona del cuerpo del niño conseguimos que interiorice su cuerpo, pudiéndonos ayudar con palabras aunque el niño sea muy pequeño. El contacto emocional entre padres e hijos surge a partir del tacto y de la palabra que lo acompaña.

De esta manera se irá desarrollando la representación mental de su cuerpo, su esquema corporal, y no de manera aislada, sino junto a su desarrollo motor, intelectual y relacional.

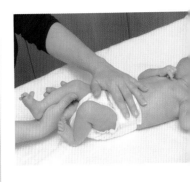

Es importante saber que las posturas fundamentales donde el niño desarrolla su movimiento son: tumbado sobre la tripa o bocabajo y tumbado de espaldas o bocarriba.

A. EL MASAJE SHANTALA

Las secuencias de movimientos no son fijas. Podemos hacer rozamientos de dentro hacia fuera o de fuera al centro del cuerpo, desde arriba a abajo, de abajo a arriba, de izquierda a derecha y de derecha a izquierda. El ritmo que debemos seguir es lento y constante, moderando la presión de nuestros dedos según la zona, pero con firmeza y sin titubeos. Ya conocemos las zonas que debemos respetar: axilas, corvas, ingles y parte delantera del cuello, sólo pudiendo realizar en ellas roces muy suaves.

Comenzamos con el niño tumbado boca arriba, apoyado con su espalda sobre el suelo (siempre aislado de éste mediante una toalla o manta) o en nuestras rodillas.

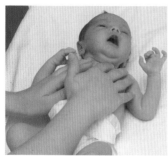 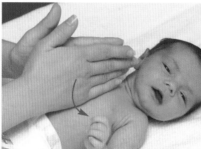 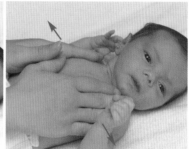

01. ROCES SUAVES EN EL PECHO

Para iniciar el contacto con nuestro bebé apoyamos nuestras manos unos segundos cubriendo todo el pecho. Las manos deben calentarse previamente mediante frotes entre ellas o acercándolas a una fuente de calor. Pasado este tiempo realizamos roces suaves desde el centro del pecho con ambas manos hacia cada lado. Primero lo haremos de forma simultánea, con las dos manos a la vez, y luego alternativamente, comenzando con la izquierda y luego hacia la derecha. Para hacerlo bien podemos imaginarnos que estamos alisando las páginas de un libro abierto.

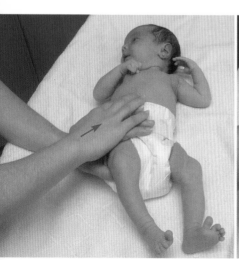 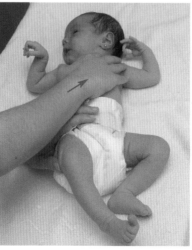

02. ROCE CRUZADO

El segundo paso se hace de manera cruzada. Con nuestra mano derecha rozamos desde la cadera izquierda al hombro derecho del bebé y viceversa con la mano izquierda. Podemos hacerlo alternativamente o primero un lado y luego otro, variándolo cada día.

03. Masaje de los brazos

Para ello colocamos al bebé de lado, girándolo suavemente. Debemos cambiar de postura al niño lo menos posible, evitando la sensación de interrupción. Por ello, haremos primero los tres siguientes pasajes seguidos con el niño tumbado sobre el mismo lado, y una vez acabados, le apoyaremos sobre el otro lado para masajear el brazo contrario.

Una mano ayudará a sujetarlo desde el hombro y con la otra mano rozaremos a lo largo de toda la longitud del brazo desde el hombro hasta la muñeca. Para ello colocamos nuestra mano en forma de brazalete, rodeando toda la superficie del brazo, pero nunca oprimiendo con fuerza. Este tipo de técnicas se ha llamado vaciado hindú.

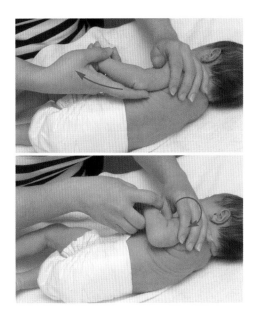

Con las manos en la misma posición, cambiamos la técnica de masajear. Ahora realizaremos suaves compresiones con un movimiento de torsión de la piel, rotándola hacia ambos lados. Comenzaremos en el hombro e iremos descendiendo hasta la muñeca, parándonos en cada punto. Variaremos según el día con rotaciones alternas a cada lado o primero todas a un lado y luego al otro. Intercalaremos entre estos masajes el movimiento pasivo del brazo, elevándolo, flexionándole el codo o moviendo la muñeca, por ejemplo.

04. Masaje de las manos

Ahora es el turno de las manos, masajeándolas y estirándolas suavemente hacia fuera. Estimularemos desde el talón de la mano hacia los dedos. Con nuestra palma abriremos su mano incluyendo el dedo pulgar, masajeando y jugando con suaves presiones cada dedo.

05. Masaje del vientre

Cuando hemos trabajado sobre ambos lados, colocamos de nuevo al niño boca arriba para masajear el vientre y las piernas.

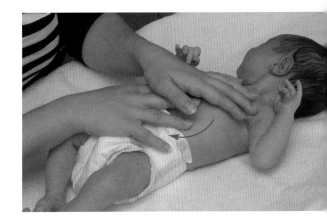

La dirección del roce es desde la parte baja del pecho hasta la parte baja del abdomen, en un movimiento de vaivén, de vaciado. Alternaremos ambas manos. Al igual que en los brazos, fijamos con una mano la cadera y con la otra hacemos rozamientos desde la cadera al tobillo con la mano en posición de brazalete, rodeando la pierna sin presionar. El vaciado hindú se hace alternando las manos.

06. Masaje de las piernas

Continuamos con la mano en posición de brazalete y hacemos una ligera presión a la vez que torsionamos la piel. Comenzamos desde la cadera y avanzamos hacia el tobillo girando a ambos lados y alternando las manos. Intercalaremos los diferentes pasajes con movimientos pasivos de la pierna, como por ejemplo, llevándole las rodillas al pecho flexionando las caderas y las rodillas suavemente o moviéndole los pies. Para acabar en esta posición masajearemos los pies, rozando con nuestras palmas desde el talón hasta los dedos. Estiraremos suavemente toda la planta y al llegar a los dedos los masajeamos uno a uno, con suaves presiones y estiramiento.

06. Masaje boca abajo

Ahora giramos por completo al niño, tumbándole boca abajo apoyado sobre su tripa. Esta posición es peor tolerada por algunos niños, pero es muy importante acostumbrarle a ella. Lo haremos progresivamente, aumentando el tiempo de juego según la vaya tolerando. Realizamos el masaje de «alisar hojas de libro». Desde el centro de la espalda, rozamos con nuestras palmas hacia ambos laterales. Empezaremos con nuestras manos en la parte alta de la espalda, incluso tocando la nuca e iremos descendiendo hasta las nalgas con el mismo movimiento. Primero comenzaremos de manera simultánea con las dos manos y luego alternativamente.

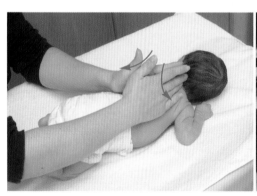

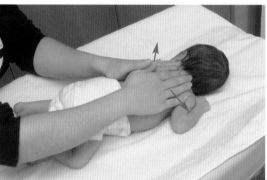

07. Barrido boca abajo

Esta técnica se conoce con el nombre de barrido. Con la ayuda de toda la mano y antebrazo haremos un roce desde la zona alta de la espalda, incluyendo la nuca, hasta los tobillos.

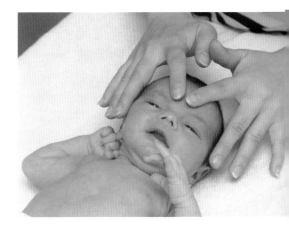

08. Masaje de la espalda

Con la mano derecha colocada en la nuca descendemos
por toda la espalda hacia las nalgas. Trazaremos
diferentes líneas de movimiento por toda la espalda,
primero de forma paralela para abarcarla toda y después
de forma cruzada desde un hombro hasta la nalga
contraria. En un movimiento de suave estiramiento de toda
la zona, primero usaremos las manos simultáneamente y
luego las alternaremos.

09. La frente

Para finalizar nos centraremos en la
cara. Con las puntas de los dedos en el
centro de la frente nos desplazaremos
hacia los laterales. Debemos cubrir
toda la frente, desde la zona del
nacimiento del pelo hasta las cejas.

10. La nariz y la barbilla

Con nuestros pulgares rozamos desde la base de la nariz hacia ambos laterales, de manera simultánea y
alternativa con las dos manos. Incluiremos también el labio superior y cubriremos hasta la zona de las
orejas. Nuestros pulgares se desplazan ahora desde los bordes de la nariz hacia la comisura de la boca,
es decir, desde arriba hacia abajo hasta llegar a la barbilla.

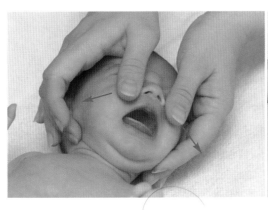
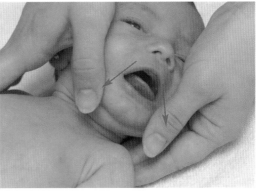

Cuando finalizamos el masaje, cubrimos el cuerpo del niño con una toalla que no esté fría para que los
efectos del masaje duren más tiempo y se absorba el aceite sobrante. Será todavía más beneficioso si lo
mantenemos pegado a nuestro cuerpo aportándole nuestro calor y cariño. Es lo que se conoce como el
efecto canguro.

Masaje infantil para padres

145

B. EL MASAJE PARA ALIVIAR PROBLEMAS DIGESTIVOS

El aparato digestivo del recién nacido continúa su proceso de maduración después del parto. Los alimentos serán tolerados de forma progresiva, comenzando con sustancias sencillas como la leche materna, pero este proceso de adaptación no está exento de problemas de cólicos, mala tolerancia e incluso alergias a determinadas sustancias. Aunque cada vez contamos con alimentos mejor adaptados a cada etapa del desarrollo, también es inevitable encontrar problemas digestivos como pueden ser los gases y el estreñimiento. Lo cólicos suelen aparecen en la segunda semana de vida hasta los cuatro meses de edad y se intensifican durante la tarde o la noche.

Quien haya sufrido un problema digestivo puede entender la sensación dolorosa tan desagradable que esto supone y lo difícil que resulta calmarla. El bebé manifiesta el dolor mediante un llanto que dura varias horas seguidas, la expulsión de gases y la flexión de sus piernas hacia el abdomen. El masaje nos ayudará a aliviar estos problemas gastrointestinales.

En el masaje abdominal es muy importante seguir las direcciones correctas de los movimientos, debido a que debemos adaptarnos a la anatomía del último tracto del aparato digestivo: el intestino grueso.

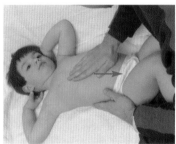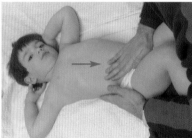

01. ROZAMIENTO SUAVE DESDE LA ZONA BAJA DEL PECHO
La musculatura del abdomen es muy fuerte debido a que tiene la importante función de proteger las vísceras que contiene el abdomen. Debemos comenzar relajándola suavemente. Para ello realizamos un suave rozamiento desde la zona baja del pecho (punta del esternón) hasta la zona del pubis, siguiendo esta dirección de arriba hacia abajo con toda la palma de nuestra mano apoyada. Debemos adaptarnos a la respiración del bebé, aprovechando cuando expulsa el aire para realizar el movimiento. Con ambas manos en el centro del abdomen deslizamos una hacia arriba y otra hacia abajo, elongando la piel cuando el niño expulsa el aire.

02. ROZAMIENTO SUAVE CON TODA LA PALMA DESDE LA PARTE SUPERIOR DEL ABDOMEN
Facilitará el vaciado de la última parte del intestino grueso, el colon descendente, que se encuentra verticalmente en la parte izquierda del abdomen. Para ello realizaremos un rozamiento suave con toda la palma desde la parte superior del abdomen, abarcando incluso las costillas de la parte izquierda, hacia la cadera del mismo lado. Repetiremos varias veces el movimiento de arriba hacia abajo alternando nuestras manos.

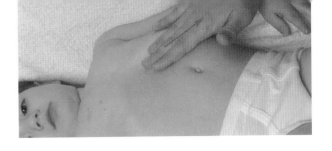

03. ESTÍMULO DEL COLON

El siguiente tramo del tubo digestivo lo encontramos horizontalmente en la zona alta del abdomen y se llama colon medio. Rozaremos suavemente con nuestras manos desde la parte derecha hacia la izquierda, justo en la zona donde finalizan las costillas, con el objetivo de facilitar el tránsito intestinal en este tramo.

04. ZONA ALTA DEL ABDOMEN

El tercer tramo o colon ascendente se sitúa verticalmente en la parte derecha del abdomen. Para estimular su movimiento, debemos realizar el masaje en dirección desde abajo hacia arriba. Colocaremos nuestra palma de la mano apoyada sobre la cadera derecha y haremos un rozamiento hasta llegar a las costillas del mismo lado.

05. MASAJE SUPERFICIAL DIBUJANDO CIRCUNFERENCIAS EN EL SENTIDO DE LAS AGUJAS DEL RELOJ

Se hará desde la parte derecha del abdomen hacia la izquierda. Comenzaremos rozando con círculos pequeños alrededor del ombligo y poco a poco iremos aumentando las dimensiones hasta cubrir todo el abdomen.

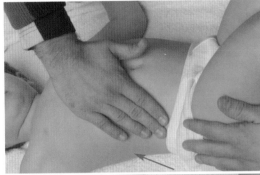

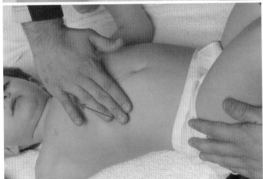

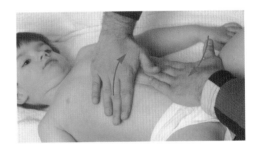

06. ROCE SUAVE EN CÍRCULO CON NUESTROS PULGARES

Describiremos con ellos las circunferencias más amplias en el sentido de las agujas del reloj, pasando por el colon ascendente, después medio y luego descendente. Presionaremos con firmeza, sin provocar dolor.

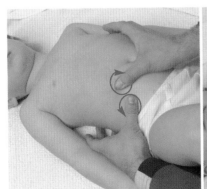

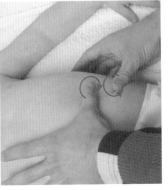

Masaje infantil para padres

147

10 OTRAS TÉCNICAS QUE INDUCEN A LA RELAJACIÓN

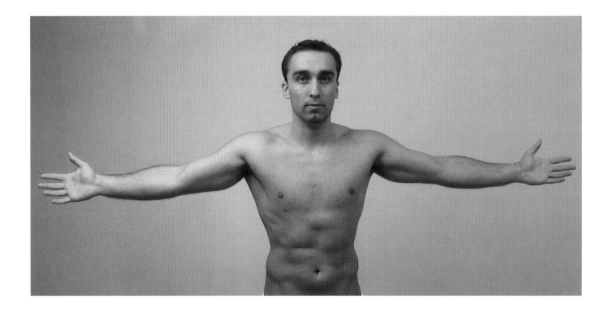

LA RELAJACIÓN ES UN ESTADO DE REPOSO FÍSICO Y MENTAL, QUE DEJA LOS MÚSCULOS EN COMPLETO ABANDONO Y LA MENTE LIBRE DE PREOCUPACIONES PERO LOS PROBLEMAS COTIDIANOS PUEDEN DIFICULTARNOS E INCLUSO BLOQUEARNOS ESTE ESTADO.

LAS DIVERSAS TÉCNICAS DE RELAJACIÓN NOS AYUDARÁN A SUPERAR ESTE TIPO DE BLOQUEOS QUE NOS IMPIDEN ENCONTRAR EL BIENESTAR QUE DESEAMOS.

De todos es conocido que el ritmo de vida actual nos arrastra constantemente a situaciones de tensión psicológica, que influyen negativamente en nuestro organismo. Como ya sabemos, la relajación es un estado de reposo físico y mental, que deja los músculos en completo abandono y la mente libre de preocupaciones pero las presiones sociales, el dinero, el trabajo, el amor... pueden suponernos un bloqueo emocional que debemos superar. La falta de relajación psíquica, unida a los estilos de vida sedentarios se exteriorizan a través del cuerpo.

Aparecen entonces la ansiedad, los dolores de espalda, sensaciones de opresión, falta de descanso, insomnio, dolores de cabeza y otros síntomas claros de estrés. Si esta situación permanece mucho tiempo puede incluso derivar en enfermedades graves como la depresión. Superar este tipo de bloqueos o síntomas es fundamental para encontrar el bienestar que deseamos. Al principio puede resultar muy difícil, casi imposible, pero podemos encontrar ayuda en las diferentes técnicas que intentan guiarnos en esta dificultosa búsqueda. El masaje es una de las técnicas más útiles, ya que trata de buscar la relajación psíquica a través de la relajación física de los músculos. Además existen otras técnicas que podemos aplicarnos nosotros mismos, sin ayuda de nadie y que trabajan directamente sobre nuestra mente.

El hombre desde antiguo ha buscado la relajación a través de diferentes métodos que estaban a su alcance. Son muchos los datos históricos que nos hablan de la existencia de tratamientos con agua, como en las termas romanas y griegas o con el agua del mar, con barros y arena, con la luz solar o la respiración. De Oriente conocemos técnicas para controlar el estrés psicológico y físico de las artes marciales, el Tai-Chi o el Yoga. También en la actualidad conocemos métodos de relajación a través de la música e incluso de los animales.

EFECTOS DE LA RELAJACIÓN EN NUESTRO CUERPO

Todas las técnicas que usamos tienen en común los efectos que producen en nuestro cuerpo, lo que las diferencia es el camino que utilizan para conseguirlos. La relajación produce en nuestro cuerpo la disminución de la actividad cardiaca y del pulso, de la tensión muscular, de la frecuencia respiratoria y de la sensibilidad de las terminaciones nerviosas de la piel.

Todos estos efectos físicos son producidos a nivel cerebral, en la que tiene una especial implicación la formación reticular, que regula los mecanismos autónomos de la actividad voluntaria, los procesos mentales y la consciencia. A nivel mental, con la relajación aprenderemos a:

· Mantener la atención centrada en un tema elegido durante un periodo de tiempo extenso.

· Desarrollar la capacidad de frenar una actividad o sensación innecesaria o que sea la causante de la ansiedad y desencadene la situación de malestar.

· Aceptar y tolerar experiencias nuevas y que nos resulten poco familiares.

BENEFICIOS PARA LA SALUD QUE APORTA LA RELAJACIÓN

· Cuando aprendamos a controlar nuestro estado de nerviosismo y estrés, conseguiremos restablecer las capacidades que habíamos perdido con el bloqueo.

· El sueño reparador nos devolverá el descanso.

· Conseguiremos de nuevo nuestro control de las emociones, sensaciones y situaciones que antes parecían imposibles de afrontar.

· Disminuirá la percepción del dolor, que junto a la relajación muscular y una actividad física saludable reducirá los dolores de cabeza, cuello, hombros, espalda y otras zonas donde hemos acumulado la tensión todo este tiempo.

· Las funciones vitales del cuerpo volverán a su ritmo habitual, se autorregularán en busca de la normalidad perdida.

· Aumentaremos nuestro rendimiento, sobre todo en actividades mentales que requieran toda nuestra atención: el trabajo, la familia, el ocio y de manera general en todos los ámbitos de la vida. Pero también notaremos la mejora desde un punto de vista físico al afrontar estas actividades y otras como el deporte aficionado o de competición.

Con la relajación se consigue el control de emociones, sensaciones y situaciones que antes parecían imposibles de afrontar.

- Mejoraremos nuestra capacidad de atención y concentración.

LAS TÉCNICAS DE MASAJE Y RELAJACIÓN ORIENTAL

Las personas occidentales tienen una idea muy estandarizada del masaje, basada sobre todo en los efectos físicos de las manos sobre nuestros músculos, debido a que la cultura occidental establece sus bases generalmente sobre elementos que se pueden percibir por los sentidos: tensión muscular, dolor, fatiga y malestar. Por el contrario, la civilización oriental está acostumbrada a describir el entorno que le rodea con elementos que no son tan sencillos de percibir y que han tenido algunas connotaciones religiosas y mágicas durante las épocas pasadas. Es muy común en Oriente hablar de flujos de energía, puntos donde la energía se acumula, espíritu, alma o la dualidad de las cosas, cuando una parte crece la otra decrece ya que son complementarias y en esto se basa el mundo (Yin-Yang).

Existe mucho escepticismo en Occidente respecto a los métodos orientales que buscan el bienestar y la salud. Gran parte de este escepticismo se fundamenta en la diferente terminología, pero esto no debe influirnos, ya que ambos contienen las mismas bases, sólo difieren en la forma de nombrarlas. En la actualidad, con el auge de las terapias alternativas en busca de la mejora de calidad de vida, hay una gran mezcla de la cultura de ambas regiones del planeta, llegándose a fusionar y compartir gran parte de la nomenclatura y conociéndose la equivalencia y similitud de muchos términos usados incluso en el masaje.

EL MASAJE CHINO O TUINA

El masaje chino se llama Tuina, aunque antiguamente se le conocía con el nombre de An Mo y contiene dos ideogramas: uno aliviar y el otro sentir o palpar. Su historia se extiende desde hace más de 2.000 años en la dinastía Quin (año 221-207 a. C.). Las técnicas del masaje chino son diferentes a las usadas en Occidente, aunque tienen en común el uso de la presión, las fricciones, las tracciones, el roce o las ondas. Entre las diferencias encontramos la consideración de puntos de acupuntura y los meridianos. Con estas técnicas de masaje actuamos sobre las zonas con tensión. Hemos de tener en cuenta que en la medicina tradicional China no existe la Psiquiatría, ya que es imposible separar la mente del cuerpo.

EL MASAJE JAPONÉS O SHIATSU

El masaje japonés se basa en la aplicación de los dedos pulgares y las palmas de las manos sobre determinados puntos del cuerpo para mantener y corregir la salud y activando la capacidad de autocuración del cuerpo. Cuando nuestro organismo se encuentra desequilibrado por el estrés o la tensión necesita una ayuda para poder autoequilibrarse. Los puntos donde debemos realizar la presión están por todo el cuerpo, encontrando mayor concentración en zonas del sacro y pelvis, cuello y nuca y grandes zonas articulares y musculares.

LA REFLEXOLOGÍA PODAL Y DE LA MANO

El origen de la reflexología se remonta al año 2330 a. C. en Egipto, donde se han encontrado en la tumba de Ankmahor pinturas que representaban una sesión de masaje reflejo. En Europa comienza su expansión en el siglo XIX.

En nuestra superficie corporal existen puntos que están directamente conectados con los órganos internos a través del sistema nervioso. A estos puntos se les conoce con el nombre de zonas reflejas, ya que a través de su palpación conseguiremos ejercer una acción beneficiosa sobre las vísceras. Los mapas de puntos corporales mejor conocidos son las manos, los pies, las orejas, la nariz y las zonas a las que corresponden. Sin embargo, debido al tamaño, lo más frecuente es hacer aplicar la técnica de la reflexología en los pies, para poder realizarla con nuestros dedos. Con la presión de nuestros dedos buscaremos el alivio de nuestro malestar donde se encuentre.

EL YOGA

El Yoga nace del deseo de controlar el conflicto interno cuerpo-espíritu, a través del cual las alteraciones en uno de los dos afectan irremediablemente al otro. Buscamos el bienestar y la calma a través del trabajo de la mente y del cuerpo simultáneamente. Con el Yoga conseguimos la relajación por medio de estiramientos globales del cuerpo, manteniendo determinadas posturas durante un periodo de tiempo más o menos largo, según nuestra experiencia. Al concentrarnos de manera consciente sobre el estiramiento de un músculo, conseguimos relajarlo, y de esta manera trabajamos sobre el campo físico de nuestro cuerpo. Mientras mantenemos estas posturas debemos realizar también un ejercicio mental más severo que en otras técnicas, ya que la complicada posición del cuerpo interfiere más en nuestra concentración. Debemos centrar nuestra atención en un

punto fijo para no perder el equilibrio y en la respiración, buscando así la relajación mental.

TAI CHI

El Tai Chi es una técnica milenaria que busca el bienestar a través del ejercicio físico sencillo. Enseña la ejercitación de movimientos lentos en direcciones circulares, acompañados del control voluntario de la respiración, equilibrio y relajación.

Esta tradición procede de la cultura «Taoísta» China y enseña los movimientos a modo de entrenamiento personal para canalizar la circulación de la energía interior, movilizando los fluidos corporales y liberando los meridianos de energía que estudia la medicina tradicional china, para buscar la armonía entre el cuerpo y la mente. Además con estos ejercicios producimos una compresión y relajación rítmica sobre las distintas partes del cuerpo, por lo que producimos un automasaje. Entre sus efectos más importantes encontramos:

· La relajación del sistema nervioso y la disminución del ritmo cardiaco. Alivio de las tensiones y eliminación el estrés.

El Yoga es un trabajo físico y mental para alcanzar el bienestar.

- Fortalece los huesos, músculos y articulaciones. Mejora el equilibrio entre órganos y regulación del metabolismo. Estimula las funciones digestivas y fortalece los músculos respiratorios. También mejora el sistema de defensas.

- Mejora la concentración y la memoria. Incrementa el equilibrio y por todo ello, mejoramos nuestra calidad de vida. Es tan útil que ayuda a relajarse incluso a las personas que practican regularmente una gran actividad física.

Existen diferentes movimientos según los diferentes tipos de Tai Chi (Chuan, Chikung, Xin Yi). Tras un calentamiento de músculos y articulaciones y ejercicios respiratorios, se realizan tablas de 24 o 78 movimientos o incluso tablas especializadas en el trabajo de la espalda. Desde la posición inicial, los movimientos se ejecutan de pie o sentado y son globales.

Los nombres de los movimientos describen la actividad a la que se asemejan, encontrando en ellos: caricias de la crin del caballo, cigüeña desplegando las alas, mono caminando por las ramas, acariciar la cola de un gran pájaro, nubes...

La concentración y la respiración ayudan al equilibrio del organismo.

LA MEDITACIÓN

Durante nuestras actividades de la vida diaria estamos constantemente «enganchados» en un diálogo mental interno, sin ser conscientes de esta actividad mental. A través de la meditación calmamos este constante diálogo interno al hacerlo consciente. La meditación consiste en concentrarse en un pensamiento determinado para eliminar el resto de ideas hasta conseguir el máximo silencio de la mente. Podemos centrar nuestra atención sobre un objeto, frase, palabra o sonido (Ohm), dejando «la mente en blanco», como habitualmente decimos, dejando que los pensamientos simplemente pasen. Con el tiempo, la cantidad de pensamientos u ocurrencias mentales disminuye. Tradicionalmente, la meditación ha estado fuertemente unida a la religión, por lo que sus bases tienen connotaciones de divinidad, logrando ponernos en contacto con ese yo superior que es donde reside la calma infinita.

En la meditación es importante ser muy constante, y no tener expectativas sobre los resultados. Con la práctica regular se conseguirán resultados inevitablemente: la intención es más importante que la técnica específica, pero debemos ser pacientes y perseverantes. Cuando comenzamos en esta experiencia son suficientes 10 minutos de concentración, que poco a poco iremos aumentando hasta los 30 minutos. Cuando dominamos la técnica a la perfección seremos nosotros los que decidiremos el tiempo y la frecuencia que más nos conviene. La posición que adoptamos es habitualmente sentados, pero será suficientes encontrarnos cómodos sin llegar a quedarnos dormidos.

Con la mente iremos recorriendo cada parte de nuestro cuerpo lentamente, sintiendo y percibiendo cómo están. No debemos cambiar lo que percibimos o provocar otras sensaciones en cada parte, sino sólo «escuchar». Observaremos en qué posición se encuentra cada parte del cuerpo, si están frías o calientes, adormecidas o pisadas por otras partes, en definitiva, sintiendo su presencia. Una vez recorrido todo el cuerpo, podemos concentrarnos en los sonidos internos y externos (el corazón, la respiración, el ruido que nos llega desde fuera

El Feng Shui permite la integración armónica de la persona con su entorno.

La luminosidad del entorno influye de manera positiva en la adecuación de equilibrio que estudia el Feng Shui.

de la habitación) pero no uno a uno, sino todos en conjunto, como si fuese la música de una orquesta.

Abriremos suavemente los ojos y observaremos los objetos que nos rodean y todas sus características, forma, color y texturas. Para finalizar y una vez sentido todo lo que nos rodea, realizaremos una inspiración profunda para salir lentamente de nuestra sesión de concentración. Éste es un ejemplo de meditación sencilla, que con la experiencia iremos haciendo más compleja, ya que nuestra capacidad de meditación se verá incrementada.

EL FENG SHUI

Estas dos palabras chinas significan Viento y Agua. Hacen referencia al objetivo que persigue esta tradición milenaria, que es integrar al ser humano en perfecta armonía dentro de la naturaleza, mejorando así su calidad de vida. El Feng Shui estudia cómo nos afecta todo lo que nos rodea e influye en nuestro bienestar. Los elementos que nos influyen son los circundantes como calles, edificios, ríos o montañas y todos los elementos dentro de la construcción como la ubicación de cuartos de baño, salones, cocinas, camas, mesas, etc. Para encontrar

la armonía que nos aporte sensaciones de relajación y elimine el estrés debemos analizar estos factores en la casa o en el trabajo.

Algunos ejemplos prácticos son:

· Debemos mantener la casa limpia, ordenada, luminosa y con una buena ventilación. Tenemos que evitar que tenga formas irregulares y que sea demasiado alta. Si es baja, no podrá tener edificios altos a su alrededor. Siempre estará protegida por edificios en la parte trasera, debiendo evitar tejados o esquinas de otras casas apuntando hacia nosotros.

· La puerta de entrada debe estar bien cuidada y no debe ser negra u oscura, ni tener caminos o carreteras que apunten hacia ella. También debemos evitar que tenga enfrente árboles, escaleras, espejos o la puerta del cuarto de baño.

· Para los jardines se recomienda colocar elementos con agua en movimiento que produce sonidos relajantes. Se evitarán piedras con formas irregulares y se usarán redondas. Los árboles grandes no se plantarán nunca en jardines demasiado pequeños.

· El salón debe ser el espacio más grande de la casa, luminoso y situado cerca de la entrada.

· El cuarto de baño no debe estar situado al otro lado de una pared donde esté apoyada una cama o una mesa de trabajo.

· El dormitorio no puede estar encima o debajo del cuarto de baño, no debe tener espejos enfrente de la puerta y debemos evitar pintarlo de colores oscuros o rojos.

· La cama tampoco puede situarse enfrente de puertas, espejos o esquinas de muebles o paredes que apunten directamente, pero debe verse la entrada desde ella. No puede estar debajo de una viga ni debe tener pared en su lado derecho.

OTROS MASAJES OCCIDENTALES PARA CONSEGUIR LA RELAJACIÓN

EL QUIROMASAJE

El Quiromasaje es una técnica de masaje descrita por el Dr. Vicente Lino. Su nombre deriva de quiros (manos), para diferenciarlas del resto de técnicas de masaje existentes en Europa. Las técnicas fueron definidas en los años 40 y hoy cuentan con hasta 45 técnicas diferentes. Entre ellas encontramos la fricción, pases sedantes y magnéticos, amasamientos digitales, digitopalmares, nudillar, pulpopulgar, palmadas, cachetes, descontracción de glúteos, paso del oso, rodamiento muscular y cepillo muscular.

LA QUIROPRÁXIS Y LA OSTEOPATÍA

Aunque son dos escuelas tradicionalmente diferentes, buscan el alivio a través de la reorganización corporal. La columna vertebral es considerada como la pieza fundamental del organismo y sus pequeños desajustes son el origen de zonas reflejas de malestar. A través de la manipulación para el ajuste de las distintas articulaciones

de los huesos conseguimos liberar la energía bloqueada que impide al cuerpo encontrar su propio equilibrio.

EL DRENAJE LINFÁTICO

El sistema linfático es un sistema paralelo a la circulación de la sangre. El elemento que fluye y transporta sustancias se llama la linfa. Este sistema también tiene conductos repartidos por todo el cuerpo a través de los cuales circula la linfa. La linfa recoge proteínas, ácidos grasos y líquidos que no son recogidos por la sangre, transportándolos desde todos los tejidos del cuerpo. Además también se encuentran algunas células defensivas que participan en la defensa del organismo de infecciones externas. Las técnicas que componen el drenaje linfático son rozamientos y fricciones muy suaves y muy específicos de cada zona, dependiendo de la anatomía del sistema linfático, ya que podemos encontrar capilares, colectores o ganglios.

La técnicas que componen el drenaje linfático son rozamientos, fricciones muy suaves y específicos para cada zona.

El «drenaje linfático manual» es una técnica de masaje que pretende activar la circulación linfática, sobre todo por debajo de la piel, mejorando así la eliminación de líquidos, linfa y por tanto las sustancias nocivas que transportan, desintoxicándonos. El drenaje comienza en la zona de las clavículas para ir recorriendo el cuerpo desde las zonas más cercanas al cuerpo hasta los puntos más alejados de las extremidades, los dedos.

Su uso comenzó principalmente para el tratamiento de las alteraciones del sistema linfático o para la estética, ya que mejora el aspecto de la piel, puede eliminar volumen de líquido retenido de manera innecesaria, y favorece el transporte de grasas contenidas en la linfa.

Otro de sus efectos es la aplicación para alcanzar la sedación o relajación. La estimulación cutánea que producen los pasajes del drenaje linfático manual es una de las más adecuadas para ello: seguimos un ritmo lento, constante y repetitivo que estimula las terminaciones nerviosas de la piel de manera muy eficaz.

El sistema linfático está regulado por el sistema nervioso vegetativo o autónomo, es decir que no podemos influir voluntariamente sobre su funcionamiento. El sistema vegetativo también es el encargado de gestionar todas las sensaciones de bienestar, relajación o calma, mediante la liberación de sustancias como las endorfinas o estimulación de determinadas zonas cerebrales. Cuando activamos por tanto el sistema nervioso autónomo mediante el drenaje linfático manual, obtenemos ambos efectos.

OTRAS TÉCNICAS PARA CONSEGUIR LA RELAJACIÓN

Con las técnicas de relajación intentamos manipular nuestra actividad mental consciente. Mediante distintos pasos trabajaremos sobre nuestra capacidad de concentración, atención y relajación física.

Para ello debemos disponer de un ambiente silencioso, sin ruidos fuertes y si somos nosotros quienes vamos a dirigir la relajación a un grupo, debemos modular nuestra voz y hablaremos con un ritmo tranquilo. Disfrutaremos de una música instrumental suave, lenta y a ser posible que no nos resulte demasiado conocida, para evitar desconcentrarnos en nuestra tarea.

La temperatura de la sala debe ser de más de 24 ºC, ya que con la relajación disminuye nuestra temperatura corporal, pudiéndonos ayudar también de mantas o

toallas para cubrirnos zonas más propensas a quedarse frías como los pies, piernas o brazos. La iluminación debe ser tenue y no debe estar colocada directamente hacia los ojos, pero nunca hay que estar a oscuras: no debemos confundir relajación con técnicas para conciliar el sueño. El objetivo será encontrarnos más relajados y reparar nuestro cansancio para continuar nuestra actividad sin dormir. La ropa que nos pongamos será cómoda, holgada, que nos abrigue y que no nos apriete, quitándonos los zapatos y todo tipo de accesorios como relojes, pulseras y collares.

Adoptaremos una postura cómoda, la que prefiramos pudiendo ser tumbado, sentado e incluso de pie. Este orden sería el ideal según adquirimos la experiencia y control de las técnicas. Lo importante es que nos encontremos cómodos, ayudándonos de almohadas, cojines y rodillos para colocar correctamente la espalda porque vamos a tener que mantener la misma postura durante un largo periodo de tiempo. Además debemos evitar las interrupciones durante la sesión, sobre todo bruscamente, repitiéndolas a ser posible una o dos veces al día cuando estamos iniciándonos. Con la experiencia necesitaremos menos tiempo para alcanzar la relajación, por lo que el tiempo de cada sesión será menor y las realizaremos dos veces por semana.

A veces es inevitable sentir sueño mientras nos relajamos, o tener pensamientos que nos devuelvan la ansiedad, distracciones o risas. Para evitarlo debemos concentrarnos en la tarea.

CONTRACCIÓN-RELAJACIÓN

La tensión que acumulamos se traduce en contracción muscular involuntaria. Sin darnos cuenta nuestros músculos se tensan y acortan, y cuando esta situación se prolonga en el tiempo, acabamos por no saber diferenciar cuándo nuestros músculos están relajados o contraídos. Habremos sentido muchas veces como estando tumbados en reposo somos incapaces de relajar una parte de nuestro cuerpo. Puedes hacer una prueba mientras estas leyendo: prueba a elevar fuertemente ambos hombros hacia las orejas y mantenlos ahí arriba durante cinco segundos. A continuación desciéndelos poco a poco hasta llegar donde consideres que están completamente relajados otra vez. Te darás cuenta cómo ahora están situados más abajo que al principio mientras cogías el libro entre tus manos, y eso se debe a que tu trapecio tiene acumulada mucha tensión cuando tu crees que está en reposo.

El ejercicio que hemos realizado es exactamente lo que tenemos que hacer con el resto del cuerpo, contrayendo y relajando una a una todas las partes de nuestro cuerpo, pero siguiendo un orden preciso para conseguir la relajación general. Debemos ser precavidos y no contraer en exceso, ya que al principio podemos sufrir leves calambres o espasmos por la falta de práctica en la contracción, por la costumbre de mantener la misma postura durante tanto tiempo o por el descenso de la temperatura. No debemos preocuparnos porque no es frecuente y el cuerpo se acostumbrará rápidamente.

Comenzaremos por la mano derecha. Cerramos la mano en puño manteniendo la posición durante 5-8 segundos y después soltaremos el músculo todo lo que podamos concentrándonos para notar la relajación. Descansaremos así 10 segundos y volveremos a apretar la mano otros 8 segundos. Repetiremos una tercera vez más. Esta misma

secuencia la repetiremos a lo largo de todo el cuerpo en el siguiente orden:

· Cerrar en puño mano derecha, doblar codo derecho, estirar codo derecho, cerrar en puño mano izquierda, doblar codo izquierdo, estirar codo izquierdo. Arrugar frente o elevar cejas, arrugar nariz, apretar dientes y mandíbula, apretar cuello hacia atrás contra el suelo. Elevar ambos hombros hacia las orejas, apretar pecho, apretar abdominales, apretar muslo pierna derecha. Subir la punta del pie derecho, bajar la punta del pie derecho, arrugar planta del pie derecho, apretar muslo pierna izquierda, subir punta del pie izquierdo, bajar punta del pie izquierdo, arrugar planta del pie izquierdo.

Los ojos podrán estar abiertos o cerrados, aunque se recomienda empezar con ellos cerrados porque facilita la concentración. Una vez finalizada toda la serie, nos mantendremos unos minutos disfrutando de la relajación de todo el cuerpo, sintiendo que pesa mucho. Para salir de la relajación iremos moviendo poco a poco todas las partes del cuerpo en sentido inverso.

RELAJACIÓN MENTAL AUTÓGENA

Las sensaciones relacionadas con la relajación como el calor, el latido del corazón o el descenso de la tensión muscular controladas por nuestra mente pueden provocar la propia relajación.

Siguiendo el mismo orden descrito para la técnica anterior, comenzaremos con el brazo derecho, pero esta vez buscando sensaciones distintas. Nos concentraremos en cada parte del cuerpo e intentaremos sentir que pesan cada vez más, que se adhieren al suelo y si intentase separarlo de él apenas podría moverlo. Una vez que consigamos sentir que todo el cuerpo nos pesa, nos concentraremos en sentir calor y un aumento de la circulación de la sangre hacia cada zona. Por último, con todo el cuerpo pesante y cálido, prestaremos atención al latido de nuestro corazón. Lo sentiremos fuerte, seguro y no pensaremos en otra cosa que no sea su ritmo tranquilo.

Una de las zonas donde debemos poner mayor hincapié es el abdomen, donde se encuentra el plexo solar, que es un centro vital muy importante en la teoría de las terapias alternativas. Otra sensación muy agradable que podemos buscar es frescor en la frente sintiendo que está despejada.

Éstas son las sensaciones que se usan más frecuentemente, pero podemos buscar nuestras propias alternativas, explorando dentro de nuestra mente cuáles son las vivencias que más nos relajan.

RELAJACIÓN MENTAL MEDIANTE LA IMAGINACIÓN

Conseguir la relajación es más fácil en determinados lugares como el mar, bosques o incluso el cielo, que varían según las personas. Esta técnica consiste en concentrarse para viajar con la mente hacia esos lugares o imaginar que estamos con objetos que nos agradan. En la búsqueda de nuestra paz particular utilizaremos los sentidos para evocar y percibir lo que nos gusta, imaginando los olores, los sonidos y el tacto.

LA RESPIRACIÓN

El control de las situaciones estresantes a través de la respiración es uno de los métodos más usados desde los tiempos antiguos. El ejemplo más claro lo tenemos en su uso para la relajación y control del dolor en la preparación al parto.

Los movimientos repetitivos y constantes producen en el hombre una sensación de bienestar y calma ya desde recién nacido. Es por esto que para calmar el llanto de un niño le balanceamos suave y reiterativamente en nuestros brazos o le acunamos para que duerma. Dentro de nuestro propio cuerpo tenemos diversos movimientos cíclicos y constantes como el latido del corazón o la respiración. Concentrarnos en este último es más sencillo ya que podemos controlarlo a través de la mente. En la práctica debemos concentrarnos en el movimiento del diafragma, dándole un ritmo monótono, de manera que dejemos a un lado cualquier otro pensamiento.

La imaginación nos permite evocar lo que nos resulta agradable incluso olores, sonidos o sensaciones táctiles.

Cogeremos el aire por la nariz y lo expulsaremos por la boca con los labios fruncidos para prologar el tiempo de salida. Una vez alcanzado un ritmo adecuado, empezaremos a dirigir el aire hacia diferentes zonas de los pulmones:

Comenzaremos con respiraciones profundas dirigiendo el aire hacia la parte baja del abdomen, poniendo a trabajar al máximo rendimiento el diafragma. Al principio puede resultar dificultoso y para comprobar que lo estamos haciendo bien podemos hacer el siguiente ejercicio: estando tumbados boca arriba, colocamos un pequeño objeto sobre nuestro ombligo (que pese medio kilo aproximadamente) de manera que podamos mirarlo desde esta posición. Cuando cojamos aire, debemos «hinchar» la tripa y observar cómo el objeto se eleva, y por el contrario cuando expulsamos el aire, desciende.

Otras técnicas que inducen a la relajación

A continuación y también tumbados boca arriba, llenaremos la parte superior de nuestros pulmones, dirigiendo el aire hacia nuestras costillas. Cuando tomemos aire las costillas se abrirán e hincharemos el pecho y viceversa al expulsar el aire. Nos abandonaremos a los pensamientos entre 10 y 30 minutos concentrándonos sólo en la respiración correcta.

Estos dos ejercicios podemos realizarlos en todas las posiciones en que nos encontremos cómodos: sentados, tumbados de lado, etc. La postura menos recomendable es boca abajo, ya que nos supone un gran esfuerzo en la respiración y nos dificulta la relajación.

LOS ESTIRAMIENTOS

Se trata de técnicas que producen un aumento de la longitud de los músculos y los tendones del cuerpo. Este aumento de la longitud es percibido por el cerebro, que responderá disminuyendo la tensión de estas estructuras por diferentes mecanismos nerviosos reflejos, favoreciendo así la relajación física y psíquica. Si estiramos frecuentemente nuestro cuerpo, conseguiremos un mayor estado de flexibilidad general, que nos ayuda a prevenir acumulaciones de tensión excesiva en nuestros músculos. Para que un estiramiento sea verdaderamente efectivo debemos mantener cada posición al menos un minuto, debiendo estirar todo el cuerpo una vez al día y sobre todo después de actividades estresantes como trabajo, deporte, estudio o después de mantener una posición durante mucho tiempo que nos produce sensación de «agarrotamiento». Para incrementar los efectos relajantes del masaje, podemos combinarlo con los siguientes estiramientos.

· **Trapecio superior:** sentado en una silla y con los hombros relajados, flexionamos lateralmente el cuello, intentando tocar el hombro con la oreja del mismo lado. Para aumentar el estiramiento podemos ayudarnos con la mano, sin hacer fuerza, sólo con el peso suave.

Notaremos que se elonga la musculatura que une el cuello y el hombro.

· **Extensores del cuello:** sentados en una silla, flexionamos la cabeza hacia delante, intentando tocar con la barbilla el pecho lo más abajo posible. El peso de ambas manos nos ayudará a provocar mayor estiramiento que apreciaremos en la zona alta de la espalda y parte posterior del cuello.

· **Estiramiento global del brazo:** colocamos una mano con la palma muy abierta y hacia arriba. Con la otra mano agarramos los dedos para que se mantengan en esta posición, mientras lentamente vamos estirando el codo y el brazo hacia delante, según toleremos la sensación de tirantez.

· **Parte posterior del brazo:** elevamos un brazo por encima de nuestra cabeza y flexionamos el codo para tocarnos con la mano la parte posterior del cuello. Con el otro brazo empujaremos para intentar llegar a tocar más abajo.

· **Parte posterior de las piernas:** desde la posición vertical, con los pies ligeramente separados, y las rodillas estiradas, flexionamos el tronco hacia delante hasta intentar tocar con nuestras manos lo más lejos posible. Siempre sin «rebotar» mantenemos la postura notando sensación de tirantez en la zona posterior de la piernas, detrás de las rodillas.

· **Parte delantera del muslo:** de pie y apoyado con un brazo sobre una pared para no perder el equilibrio, flexionamos una rodilla hasta llegar con el pie a la nalga. Con el otro brazo cogeremos dicho pie para ayudar a llevarlo más arriba si podemos.

· **Parte interna del muslo:** apoyados en el suelo con una pierna flexionada y la otra

Los estiramientos son fundamentales para la disminución de la excesiva tensión de nuestros músculos. Para que el estiramiento sea efectivo debemos mantener las posiciones al menos un minuto cada una.

estirada hacia un lateral. Notaremos estiramiento en la zona de la musculatura de la ingle.

· **Parte externa del muslo:** sentado con una pierna estirada y la otra flexionada apoyando el pie cerca de la cadera contraria, rotaremos el cuerpo hacia el lado de la pierna flexionada, empujando con nuestro brazo a dicha pierna para que llegue más lejos y aumentar la sensación de estiramiento

· **Gemelos:** ayudados por un pequeño objeto colocado en la punta de nuestro pie, bastará con colocar nuestro peso sobre el talón. Para no perder el equilibrio nos apoyaremos con las manos en algún objeto fijo.

EL MÉTODO PILATES

Con el método Pilates mejoraremos nuestra relajación a través del incremento de nuestra actividad física combinada con el estiramiento activo. Se trata de ejercicios que debemos hacer con una concentración plena y con un control muscular total por lo que favorecen el conocimiento de nuestro cuerpo siendo más conscientes de su contracción y relajación.

Fue creado por Joseph Pilates después de la Primera Guerra Mundial. Se basó en fundamentos occidentales del ejercicio físico, pero integró conceptos de la filosofía oriental de respiración y relajación activa. Los ejercicios que diseñó se realizan en máquinas con sistemas de muelles elásticos o en el suelo. Estos últimos son los más sencillos y que podemos aplicar a nuestra búsqueda de la relajación.

Con el método Pilates mejoramos el estado de fuerza y elasticidad muscular, la movilidad articular, la postura, aliviando así el malestar que nos produce nuestra vida sedentaria y llena de malas posturas. Pero además aprenderemos a conocer mejor nuestro cuerpo, seremos capaces de controlar la tensión en cada zona del cuerpo ayudando a relajarlas colocándolas en la posición correcta. Se realizan unas diez repeticiones de cada ejercicio, lenta y controladamente, conociendo qué zona debemos contraer y cuáles debemos relajar y estirar. Lo importante no es el movimiento, sino cómo hacemos el movimiento. Es por esto que las sesiones de Pilates son cortas, pero muy intensas, ya que al hacer «ejercicio consciente» trabajamos mucho más que con la actividad física habitual.

LA MUSICOTERAPIA

La musicoterapia es la utilización de la música o de sus elementos como el sonido, el ritmo y la melodía en un proceso destinado a facilitar y promover el buen funcionamiento físico, psíquico, intelectual y social. Aunque las aplicaciones son múltiples, pueden ser de gran interés para nosotros las que influyen sobre procesos mentales tanto de la relajación como de la concentración.

Diversos estudios han demostrado que la aplicación de la música durante las sesiones de relajación consigue potenciar de forma evidente sus efectos. La música debe ser elegida previamente por cada persona entre los diferentes tipos, ya que no existen reglas estrictas, cada persona reacciona de manera diferente ante la misma melodía o canción. La mayoría de las personas que usan la música diariamente en su lucha contra el estrés, encuentran un aumento del bienestar y del ritmo del sueño y descanso, incluso eliminando el insomnio.

LA CROMOTERAPIA

La cromoterapia se basa en el uso de los colores para provocar reacciones inconscientes en nuestro cuerpo. Los colores son percibidos a través de la vista y al igual que el resto de los sentidos, estas sensaciones llegan a distintas partes del cerebro. Las partes del cerebro que los hacen conscientes son las responsables de que tengamos las sensación de «color» de las cosas y diferenciemos unos de otros. Por otra parte, los colores también se perciben en otras zonas cerebrales que provocarán en nosotros mecanismos inconscientes. Otras teorías implican los efectos directos sobre la luz de colores sobre cualquier célula del cuerpo, debido a los cambios químicos que la luz provoca en las diferentes sustancias.

Los ejemplos más prácticos y habituales de estos efectos los podemos observar en la ropa, donde diferenciamos los colores más «cálidos» o «fríos» según la temperatura de cada temporada. O también asociaciones de los colores según nuestro estado de ánimo como el negro a la muerte de un ser querido.

Entre los diferentes efectos que podemos provocar está la relajación, la calma, la sensación de bienestar y la disminución del estrés y la tensión o aumento de la energía. Las aplicación de la luz de colores se puede hacer directamente sobre las zonas donde notamos más tensión localizada, pero también de manera general mediante lámparas con color en la habitación como refuerzo de otros métodos de relajación como el masaje, la respiración o las técnicas orientales.

LOS COLORES Y SUS EFECTOS

Naranja: mejora el insomnio y falta de descanso nocturno por constantes desvelos a lo largo de la noche, nerviosismo e irritabilidad. Antifatiga y estimula el apetito sexual.
Verde: ayuda a conciliar el sueño, sedación y descanso para la vista.

Primero rojo y luego verde: reduce la tensión muscular.
Primero verde y luego rojo: recuperación de la fatiga mental.
Rojo: mejora la tensión psicológica-afectiva.
Amarillo: mejora la tonicidad muscular. Antifatiga mental, mejorando la concentración.
Violeta: reduce la angustia, el miedo y las fobias.